Y0-BSM-808

好兒童國學叢書

精選

唐詩三百首

注音 唐詩三百首 目錄

五言絕句

七言絕句

注音 唐詩三百首(續) 目錄

古詩

樂府

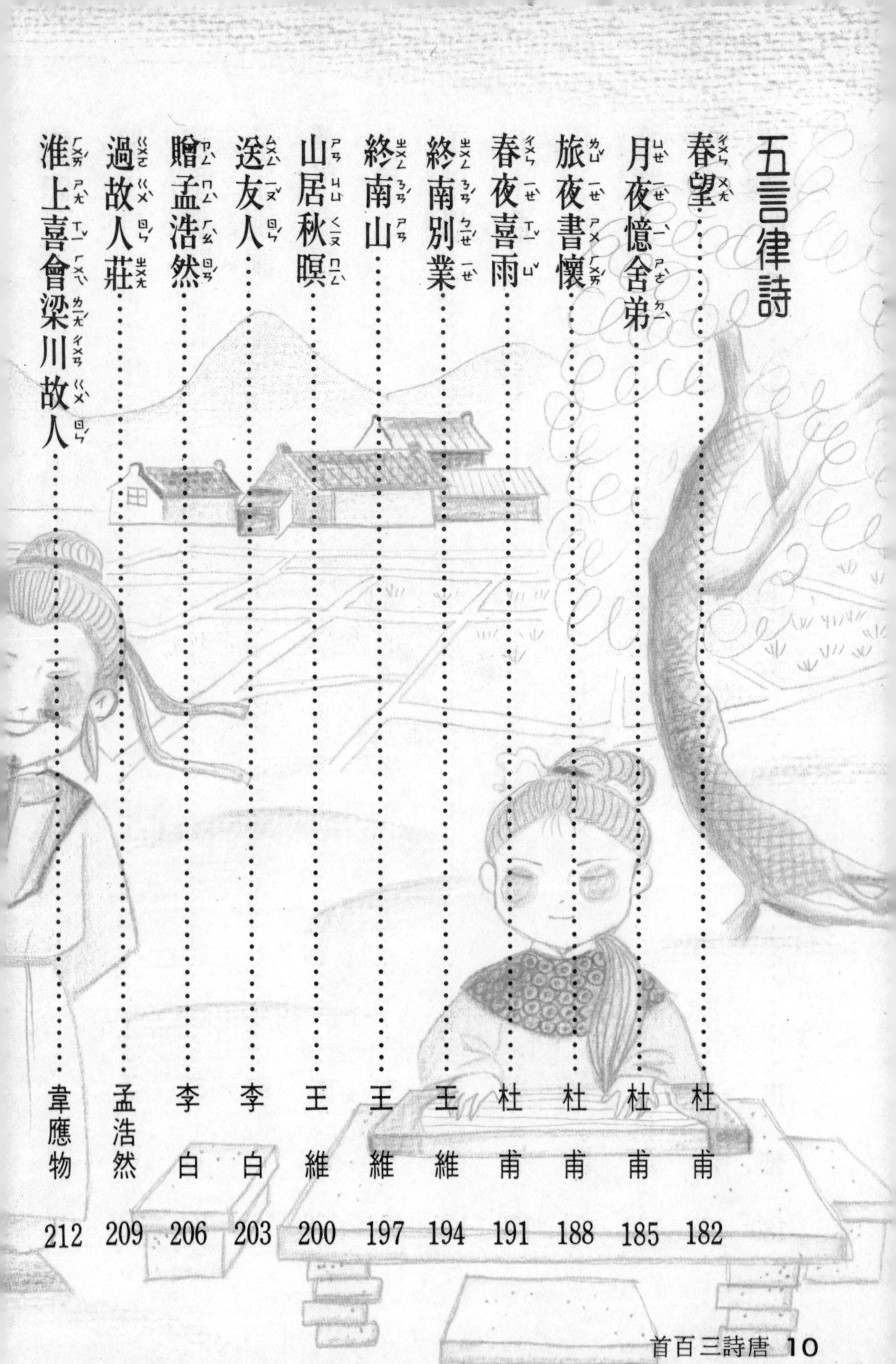

五言律詩

七言律詩

獨坐敬亭山①

李白

五言絕句

眾鳥高飛盡②，
孤雲③獨去閒④。
相看兩不厭⑤，
只有敬亭山。

解註

①敬亭山：山名，在今安徽省，山高數百丈，是著名的遊覽勝地。

②盡：絕、空。

③孤雲：孤零零地一片浮雲。

④閒：悠閒。

⑤厭：厭惡、討厭的意思。

詩意

那一群群的飛鳥都已振翅高飛，不知去向了。天際僅剩的一片浮雲也十分悠哉地往遠方飄去。在這種時候，能和我靜靜對望而都不互覺厭煩的，只有這座敬亭山罷了。

欣賞

這是詩人自述獨處時怡然自得的詩。一般人在獨處時，最常表現出的態度就是煩燥、不耐，總希望身旁有個伴兒。但是李白就不是這樣了，他獨自在山間靜坐，眼看著鳥兒一隻隻飛走、浮雲也飄遠去時，他發現到眼前還有一座敬亭山。

山的高、山的屹立、山的沈靜，讓李白領悟到獨處時的另一種樂趣。於是，他將山擬人化，把敬亭山當作是有生命的人一樣，說自己和山「相看兩不厭」。

詩人的感情就是這麼細膩，所以對各種事物都能有很深入的感受。

五言絕句

②危樓高百尺，
手可摘③星辰。
不敢④高聲語，
恐⑤驚⑥天上人。

註解

①夜宿山寺：在山中的寺廟裡過夜。

②危樓：高樓。

③星辰：星星的總稱。

④高聲語：大聲說話的意思。

⑤驚：驚動、打擾。

⑥天上人：指天上的神仙。

詩意

這寺院的塔樓有百尺來高，站在上面，彷彿一伸手就可摘到天上的星星一樣。

感覺上，離地面是那麼遠；離天上卻是那麼地近。我連說話都不敢大聲，深怕一大聲，會驚動了天上的神仙們。

欣賞

這首詩是描述詩人在山寺塔樓上欣賞夜色的美妙感受。

李白個性十分豪放浪漫，因此，筆下的詩有許多一如其人，相當浪漫，人稱「詩仙」。你瞧，當他在月光下喝酒時，竟然有「舉杯邀明月，對影成三人。」的詩句出現呢！明明是獨自喝酒，可是，詩人就有這麼豐富可愛的想像力，他舉杯邀明月共飲，再加上自己的影子，哇！就變成三個人了，好熱鬧！

同樣的，當他爬上高聳的塔樓，覺得彷彿一伸手就可碰到天空了，不禁幻想著，天上或許有神仙居住呢！

春曉①

孟浩然

五言絕句

春眠②不覺③曉，
處處聞④啼鳥⑤。
夜來風雨聲，
花落知⑥多少？

解註

①春曉：春天的早晨。曉指天亮。

②眠：睡眠。

③覺：感覺出。

④聞：聽。

⑤啼鳥：啼是鳴叫，啼鳥在這裡指鳥叫聲。

⑥知多少：不知有多少。是反問語。

詩意

春天氣候合宜，夜裡睡得好甜，連天亮了都不曉得。

醒來時，到處都傳來鳥兒啼叫的聲音。

想起昨夜聽到一陣陣風雨的聲音，不知又有多少花兒被風雨給打落了。

欣賞

這是一首描寫春天早晨及詩人惜花心情的詩。

唐代凡是出名的詩人，大都曾經獲得官爵，只有孟浩然，雖然詩名滿天下，卻一生不曾獲得一官半職。

他擅長於寫田園詩，在當時，和王維是田園詩人的兩大代表。

這首「春曉」是唐詩中家喻戶曉的一首，他先從「春眠不覺曉」引出春天氣候的涼爽宜人，再從「處處聞啼鳥」引出春天是個百花齊放、百鳥爭鳴、萬物更新的美好季節，最後，表現出詩人愛花、憐花的心情。

宿建德①江②

孟浩然

五言絕句

移舟泊④煙渚⑤，
日暮客愁新。
野曠⑥天低樹，
江清月近人。

解註

①建德：縣名，在浙江省。

②江：在此指錢塘江，是上源部分。

③移舟：將船行駛移動。

④泊：船靠岸。

⑤煙渚：被煙霧迷漫籠罩的小洲。

⑥曠：空闊。

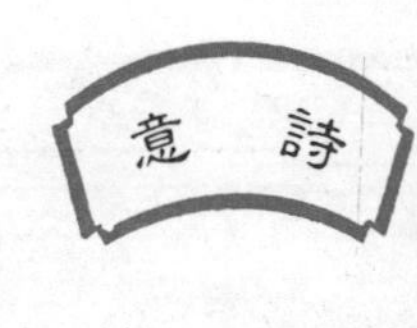

詩意

船夫把船停靠在建德縣邊一個煙霧瀰漫的小沙洲旁。漸濃的夜色，又增添了遊子的鄉愁。遙望空曠原野的遠處，天空好像都比樹木還低似的。清澈的江水上，倒映著月影，那麼明亮似真，好像就在人身邊一樣。

欣賞

這是一首描述旅人愁緒的詩。

自古以來，靜夜和月光就一直是最易引起遊子思鄉情懷的。白日裡，每個人為了本身的工作、生活等等而忙碌，常常總是無暇多想，可是，當暮色低垂，忙碌的節奏停息，萬籟俱寂時，那壓抑心底的鄉愁便不由得湧上來了。

作者旅居在外，對家鄉的思念也一日比一日深，好像每一天都更增加了一點新愁一樣，所以說「客愁新」。

在這種時候，又看到那代表團圓意義的明月倒映在身邊清澈的江水中，怎會不更覺愁苦難當呢！

雜詩

王維

五言絕句

①君自故鄉來，
應知故鄉事。
②來日③綺窗前，
④寒梅⑤著花未？

註解

①君：尊稱對方。

②來日：動身的那一天。

③綺窗：綺指有斜紋的絲織品。綺窗就是用綺裱糊的窗子。

④寒梅：即梅花。

⑤著花未：開花了沒有。著花是開花。

詩意

您從故鄉來這兒，故鄉的事，您一定知道吧！

在您從故鄉動身前來的那一天，可曾注意到，我家綺窗前的那一株梅花，是不是已經吐蕊開花了呢？

欣賞

這是一首懷念故鄉的詩。

中國人因為受了傳統禮教約束的影響，在感情的表達上，一向就比較含蓄，西方人就不同了，或悲或喜，心中有幾分感情，全都盡情發洩出。

在這首詩中，作者見到從故鄉來的友人，明明心中激動萬分，巴不得一古腦兒把想問的事全都說出，太多太多的事要問，可是，臨出口，卻是淡淡的一句：「我家窗前那株梅花，可已開花了？」

在這句話背後那千絲萬縷的情感，你是不是也能體會得到呢？

相思

王維

五言絕句

紅豆①生②南國③，
春來發④幾枝。
願君⑤多採擷⑥，
此物⑦最相思。

解註

①紅豆：植物名。紅豆樹種子呈紅色，又名相思子，古人以它來代表愛情。

②生：生長。

③南國：南方。

④發：發芽、長出。

⑤君：尊稱對方。

⑥採擷：摘取。

⑦此物：指紅豆。

詩意

紅豆生長在我國南方。

每當春天一到，就會長出許多新枝。

願你多摘取一些紅豆，留作紀念，因為它最能代表相思的情意了。

欣賞

這是一首以物寄情的詩。

紅豆又名相思子、雞母珠，產在我國南方接近熱帶的幾個省分，例如：臺灣、廣東、廣西等。它的種子是鮮紅色的，大小就和豌豆差不多。

為什麼叫它相思子呢？據說從前有個人出征在外，不幸戰死，他的妻子因為思念丈夫，天天在紅豆樹下哭泣，後來竟悲傷過度而死，於是，人們就將紅豆樹稱為相思樹，種子就叫相思子，以它來代表愛情。

作者以紅豆來表達自己思念的情意，真是十分含蓄動人。

竹里館①

王維

五言絕句

獨坐幽篁②裡，
彈琴復長嘯③。
深林人不知，
明月來相照。

註解

①竹里館：陝西省藍田縣的輞川為一風景名勝區，共有二十處奇景，竹里館便是其中之一。

②幽篁：幽靜的竹林。篁便是竹林。

③長嘯：嘯是呼叫，長嘯在此指高聲吟唱。

詩意

我獨自一人坐在幽靜的竹林裡，一面撥弄著琴弦，一面高聲吟唱。

在這深密幽靜的林裡，我且彈且唱，優游自在，沒有別人知道。

在一片詳和中，只有天上皎潔的明月靜靜地照著我。

欣賞

這首詩是描寫詩人獨處時閒適的心境。年輕時的王維，在功名追求上，可以說是一帆風順，相當得意。後來，他因為受到安祿山造反的連累，仕途才遭遇挫折，自此，思想大為轉變，領悟到功名富貴原是一場空，便逐漸皈依到大自然與佛學的懷抱中，隱居在藍田輞川。

因此，王維年輕時的作品處處充滿了活力、熱情與豪情壯志；晚年的作品卻十足表現出田園隱逸的思想。

這首「竹里館」便是他晚年作品，全詩流露出一股平淡、恬靜的氣氛。

五言絕句

山中相送罷①，
日暮②掩③柴④扉。
春草明年綠，
王孫⑤歸⑥不歸？

① 罷：完、結束。

② 日暮：太陽下山的時候。

③ 掩：關上，合上。

④ 柴扉：柴門。扉是指門。

⑤ 王孫：貴族子弟。在此是指作者所送走的朋友。

⑥ 歸：回。

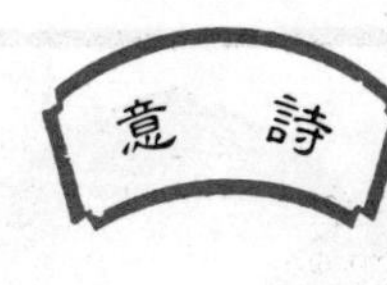
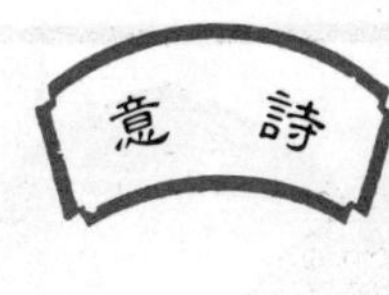

詩意

我在山中送你走了之後，回到家來，天色已經暗了，我便將柴門關上。少了你，屋裡顯得冷清無比。

明年，當春風吹起，春草再綠的時候，你會不會再回到這裡來呢？

欣賞

這是一首送別朋友的詩。

與朋友分離，是一件令人十分難過的事，相聚時的歡樂，眼見就將過去，怎能不令人傷心呢？

讀了這首詩，或許有人會說：「王維並不難過呀！全詩中，一個『愁』字都沒有。」

其實，這正是王維筆法高人一等的地方，他不直接道出離愁，卻在「日暮掩柴扉」一句中影射出朋友離去後，屋裡的淒清寂寞；再從最末句「王孫歸不歸」透露出自己期盼再相見心情之殷切，那傷痛不捨之情，比明白道出更為真切。

鹿柴①

王維

五言絕句

空山不見人，
但②聞人語響。
返③景入深林，
復④照青⑤苔上。

①鹿柴：王維輞川別墅附近的一個地名。景即日光。

②但：卻。

③返景：返照的日光。

④復：又。

⑤青苔：青色的苔，容易生長在潮溼陰暗處。

在這座空曠的山裡，看不到一丁點兒人跡，卻隱隱約約聽到人聲，彷彿有人就在這山裡頭說話似地。

返照的日光穿過樹林，投射到濃密的林木深處，又映照在青苔上面。

欣賞

這首詩是在描寫「鹿柴」黃昏時幽靜詳和的景象。

王維晚年時，得到宋之問在藍田縣的輞川別墅，從此便隱居在當地，過著恬淡的生活。

輞川山谷山水奇勝，有的地方山路既狹且險；有的地方卻又一片舒坦。愈向裡去，景色愈奇，引人入勝。

居住在這山林掩映，儼然世外桃源的地方，王維或泛舟、或彈琴、或賦詩，都能自得其樂。

也因此，王維這時期寫出的詩，都在在表現出他深深喜愛這種心靈滌淨的隱士生活。

鳥鳴澗①

王維

五言絕句

人②閒桂花落，
夜靜③春山④空。
月出⑤驚⑥山鳥，
時鳴春澗中。

解註

① 澗：兩山中間的流水。
② 閒：清閒、悠閒。
③ 春山：春天的山裡。
④ 空：在此當寂靜解釋。
⑤ 驚：驚醒。
⑥ 山鳥：山中的鳥雀。

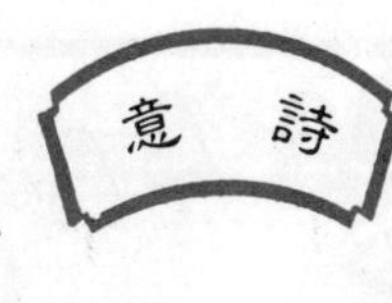

在這春夜裡，我心境悠閒得都可聽到桂花一瓣瓣飄落的聲音。

靜夜裡，整個山谷一片寂靜。

忽然，月姑娘從雲後端露出了臉。明亮的月色驚醒了沈睡中的鳥兒，於是，鳥雀們吱吱喳喳地，開始在山澗中又唱又跳了起來。

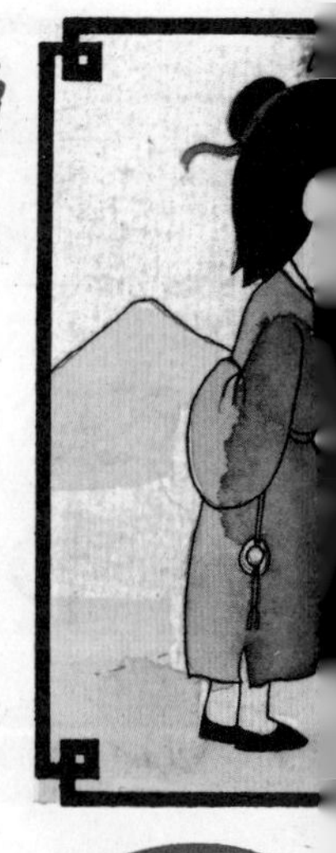

欣賞

這是一首描寫春夜裡山中景象的詩。

全詩寫得相當有趣，包括了「靜」與「動」兩方面。

前兩句是由作者閒適的心境引出夜山中寂靜的景象：桂花輕輕飄下，灑落一地清香；山中一片沈寂，彷彿時空都靜止了。

就在這時，月光突然撥開雲霧，露出臉來了，那亮光驚醒了沈睡中的鳥雀，於是，原本寧靜的春山陡然熱鬧了起來。

你瞧，鳥兒吱吱喳喳地，在山澗上跳來跳去，載歌載舞，想來，牠們是以為天已經亮了呢！

江樓聞砧①

白居

五言絕句

江人②授衣晚，
十月③始聞砧。
一④夕高樓⑤月，
萬里⑥故園心。

註解

①聞砧：聽到擣衣的聲音。砧是指擣衣石。

②授衣：給予冬衣。在此當製作冬衣解釋。

③始：才。

④夕：夜。

⑤月：月亮。

⑥故園：故鄉。

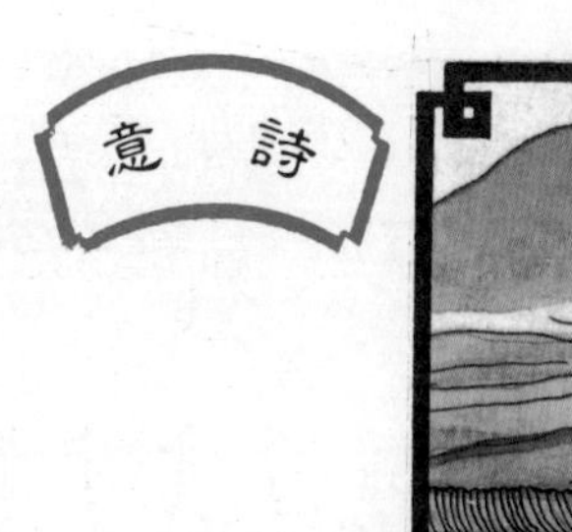

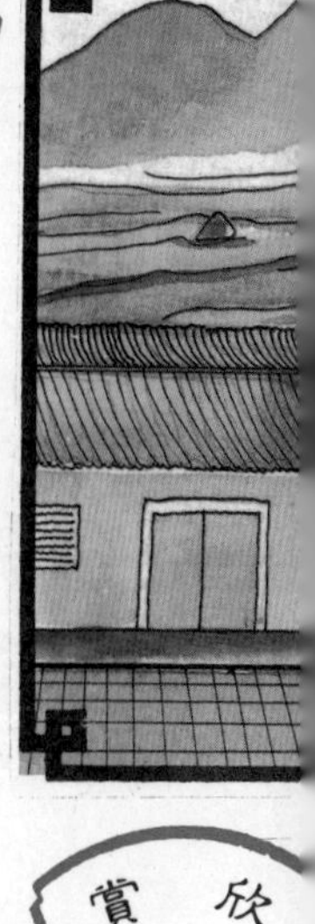

住在江邊的人，比較晚作冬衣。到了十月，才聽到婦女製作冬衣的搗衣聲。

我在這高樓上，凝望著月兒，聽那搗衣聲，就和從小在故鄉聽慣的一般熟悉，不禁又深深思念起遠方的故鄉。

欣賞

這是一首懷念故鄉的詩。

為什麼白居易在聽到搗衣聲時，便不由得想起家鄉呢？

古時候，生活設備不比現代，日用品到處可買得到，既多又便宜。那時，什麼都得自己動手。婦女在製做冬衣前，先得在搗衣石上把生絲搗成熟絲，去掉生絲上的蠟質，再燙平裁作衣服。用意就是在去除汙垢及防止縮水。

一個離家在外的遊子，陡然聽到從小在家鄉聽慣的搗衣聲，那感覺不就像聽到小時候媽媽為自己哼的催眠曲一樣嗎？那麼熟悉又令人依戀，叫人如何不想家？

五言絕句

綠螘②新醅③酒，
紅泥小火爐。
晚來天欲④雪，
能飲一杯無？

① 劉十九：白居易的朋友。劉是姓，十九是他的排行。

② 綠螘：酒。「螘」與「蟻」通。

③ 新醅：醅是未過濾的酒。新醅指剛釀好，尚未過濾的酒。

④ 欲：將。

詩意

我這裡有一壺剛釀好，還沒過濾的酒。我將它放在紅泥小火爐上溫熱。天氣愈來愈冷，看天色，晚上就要下雪了。老友，不知你能不能來這裡和我喝幾杯？

欣賞

這是一首邀請朋友喝酒，共度雪夜的親切小詩。

我們試著想像那情景：傍晚時分，寒風吹襲，一陣比一陣冷冽，白居易坐在屋裡，眼看著就快下雪了，今晚想必十分淒寒，自己一人度此寒夜，真不好受。

老友呀！過來喝一杯吧！我這兒有一壺剛釀好的酒，正放在小火爐上溫著呢！等你一來，我們就邊喝邊聊，一定暢快無比。

雪夜，本是嚴寒的，然而，詩人真懂得找尋生活情趣，幾句話兒，便驅走了寒氣，還捎來了一股暖意。

五言絕句

三日入廚下①，
洗手作②羹湯③。
未諳④姑⑤食性⑥，
先遣小姑⑦嘗。

解註

①廚下：廚房。
②作：煮。
③羹湯：有肉有菜的湯。
④諳：明白。
⑤姑：指丈夫的母親，即婆婆。
⑥食性：口味。
⑦小姑：丈夫的妹妹。

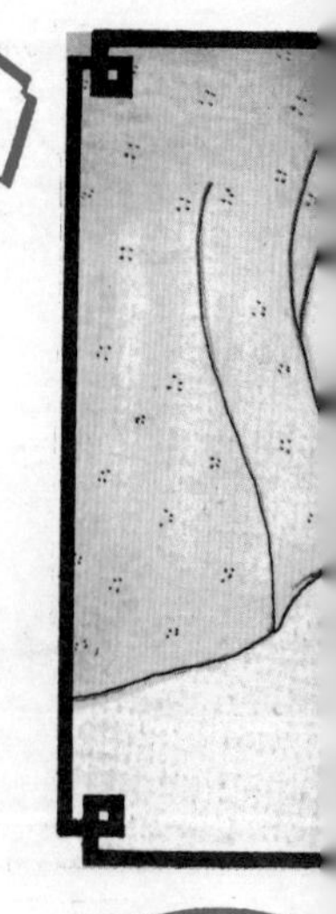

詩意

依照習俗，新娘在過門後的第三天，就要進入廚房作菜。她洗好了手，就切肉煮菜，作了一碗肉湯。

但是，卻不知道婆婆的口味是怎樣的，於是，先送去請小姑嘗嘗看。

欣賞

這首詩是在描寫新媳婦初入廚房時小心謹慎的態度。

在古代，實行的是大家庭制度，兒子娶了媳婦，依舊和父母住在一塊兒，而依照習俗，結婚的第三天，新媳婦就要入廚房做菜了。

這位新媳婦兒既細心又聰慧，她深深明白「男主外，女主內」的道理，在這家庭中要得寵，首先得得到婆婆歡心才行，而第一頓飯菜就是關鍵了。可是，婆婆口味到底如何呢？

瞧！她真靈巧，馬上想到小姑最明白自己媽媽的口味了，趕緊端著肉湯，先去請小姑嘗嘗看，指點一番，希望能令婆婆滿意。

①小松

王建

五言絕句

小松初②數③尺，
未④有直⑤生枝。
閒⑥即旁邊立⑦，
看多長却遲⑧。

註解

① 小松：小松樹。
② 初：起初。
③ 數尺：幾尺。
④ 未有：還沒有。
⑤ 直：挺直堅實的意思。

⑥ 閒：指有空的時候。
⑦ 立：站。
⑧ 遲：慢。

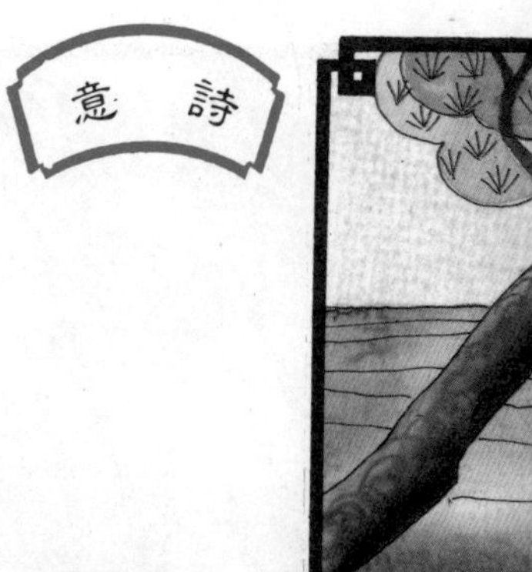

詩意

小松樹才剛剛開始成長，只有幾尺高。它柔柔嫩嫩地，總是低垂著頭，直不起身來。

我細心地照料它，一有空閒，就到小松樹邊看一看、摸一摸，可是，看得次數太頻繁了，卻覺得它好像愈長愈慢呢！

欣賞

這是一首利用小松樹成長來襯托出詩人急切心情的詩。

小朋友，你有住在遠地的小表弟或小表妹嗎？如果有，當你好久才和他見一次面時，是不是覺得：「哇！怎麼又長高了那麼多呢？」

再回頭來看，你自己家裡面的小弟弟或小妹妹，天天和你住在一塊兒，你反倒不覺得他長得快了，是嗎？

你若有過這經驗，便會明白詩人王建為什麼覺得小松樹長得很慢了。其實，小松樹天天都在成長，可是，因為王建心急，老是看它個不停，反倒就覺得它長得慢了。

送靈澈①

劉長卿

五言絕句

蒼蒼②竹林③寺，
杳杳④鐘聲晚。
荷⑤笠帶斜陽⑥，
青山獨歸遠。

①靈澈：和尚名。是劉長卿的朋友。

②蒼蒼：在此指暮色昏暗的樣子。

③竹林寺：寺廟名。

④杳杳：形容深遠的樣子。

⑤荷：肩上背負著。

⑥帶斜陽：指映著夕陽餘暉。

詩意

從暮色蒼茫的竹林寺中，傳來悠遠的晚鐘聲。我在這裡送你離去。你將斗笠垂掛在背上，映著夕陽餘暉，獨自一人從青山那邊走向遠方。

欣賞

這是一首送朋友離去的詩。

人間悲歡離合，自古難免，有相聚，必然也有分離。

詩人劉長卿所送的朋友是個出家人，出家人對世間生離死別都已看透，心靜如止水，是不為外界事物所影響的，因此，他背著斗笠，映著斜陽，悠然遠去。

送行的人呢？心境卻不如此輕鬆了，雖然因為對方是個出家人，所以不能將離愁悵惆表現得太濃厚，然而，就在他不願逕自離去地看著朋友愈行愈遠時，那依依不捨之情已在不知不覺中流露出來了。

聽彈琴

劉長卿

五言絕句

①泠泠②七絃上，
靜聽③松風寒。
④古調雖自愛，
⑤今人多不彈。

註解

① 泠泠：形容琴音洋溢。

② 七弦：樂器名。指七絃琴。

③ 松風：指古代樂府「風入松」的琴曲。

④ 古調：古時候的曲調。

⑤ 今人：現在的人。

詩意

七絃琴上琴聲洋溢，我靜靜地聽著這首「風入松」曲，深深沈醉在那淒清動人的樂音中。

雖然我很喜歡這種古老的曲調，但是，現在的人已經大都不再彈奏了。

欣賞

這是一首藉彈琴來比喻懷才不遇的詩。劉長卿擅長於寫五言詩，是一位相當傑出的詩人，在他任官期間，因為常被遷調，所以常自嘆懷才不遇。

這首「聽彈琴」便是劉長卿為發抒心中鬱悶所寫的。他利用琴音來比喻自己，雖然古調自愛，而且有其價值，但是，知音何其難覓，別人終究不懂得欣賞呀！

唐代有名的詩人，大都曾經任官，然而，在仕途上卻未必都一帆風順，因此，一但有了不如意，便利用詩文將積鬱心中的苦悶宣洩出來。

①逢雪②宿③芙蓉山④主人

劉長卿

五言絕句

日暮蒼山遠，
天寒白屋⑤貧。
柴門聞犬⑥吠，
風雪夜歸人。

①逢：遇。

②宿：在此指借住過夜的意思。

③芙蓉山：山名。在今福建省。

④主人：指讓劉長卿借宿的屋主。

⑤白屋：建築簡陋，沒有油漆的屋子。

⑥犬吠：狗叫。

詩意

在暮色蒼茫中，我獨自趕著這漫長的山路。風雪愈來愈大，寒氣也更加逼人。終於，我望見前方有間簡陋的民房。

我趕上前去敲門，柴門裡邊立即響起一陣狗叫聲。在這風雪交加的夜裡，我前來叩門求宿。

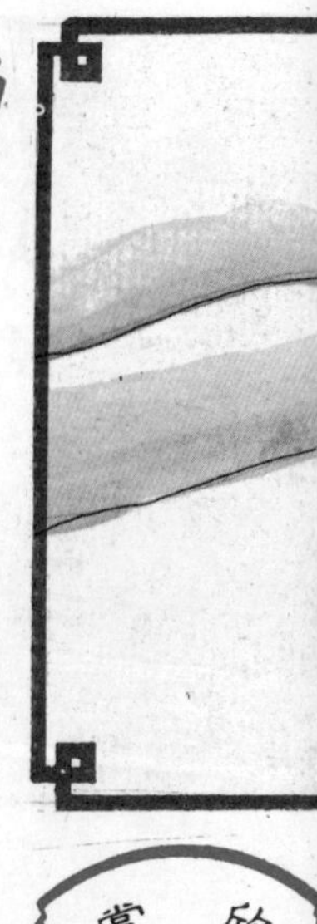

欣賞

這是一首記述在雪夜中趕路和借宿經過的詩。

第一句話將趕路人的心情描寫得十分傳神，天色已昏暗，前頭的路卻遙遙無盡，趕路人既心急又無奈。

天黑了，雪花紛飛，在一片白茫茫中，突然出現一間小木屋，屋雖小，那透出的亮光卻登時溫暖了趕路人的心。

趕路人敲門，裡頭的狗兒開始汪汪叫，主人開門納客。雖然詩至此便結束，然而，我們可想像得到，儘管外頭仍是風雪交加，小屋裡旅人的心卻是一片溫馨了。

①蘆花

雍裕之

五言絕句

②夾岸③復連④沙，
枝枝搖⑤浪花。
月明⑥渾⑦似雪，
無處認漁家。

註解

①蘆花：蘆葦所開的花。

②夾岸：兩岸。

③復：又、再。

④沙：指沙灘。

⑤浪花：指波浪。因翻湧的波浪形狀像花，所以叫浪花。

⑥渾：幾乎。

⑦似：好像。

詩意

從河流兩岸，一直延伸到整片沙灘上，全都長滿了蘆葦。當微風吹起時，層層翻動的蘆花就像波浪一樣，煞是好看。

在月明的夜晚，銀白色的蘆葦就幾乎像雪一般，白茫茫一片，讓人都認不出漁翁的家在哪裡了呢！

欣賞

這是一首描寫蘆花的詩。

蘆花其實應該稱為蘆絮，就是蘆葦種子上叢生的細毛，蘆絮柔白，就像棉絮一樣，當種子成熟時，風一吹，它就四處飛散了。因為蘆絮的外形像花兒一樣，所以一般人就稱它為蘆花。

你見過蘆葦嗎？蘆葦最喜歡生長在池沼邊或河岸了，當那整片的蘆絮迎風搖擺時，真是動人萬分，找個機會，去河邊看看吧！你也會為之著迷的。

蘆葦除了供觀賞外，蘆稈還可造紙、織席；蘆根可以當藥用，是一種很有用的植物。

①四氣

雍裕之

五言絕句

春禽②猶競③囀，
夏木忽交④陰。
稍覺秋山遠，
俄⑤驚冬霰⑥深。

解註

①四氣：在此指四時的意思。

②禽：鳥類的總稱。

③競囀：爭相鳴叫。囀是指鳥兒鳴叫。

④交陰：樹蔭交錯相接，表示樹木很繁茂。陰指樹蔭。

⑤俄：片刻、不久。

⑥霰：小雪珠。

詩意

春天時，百鳥爭鳴，大地一片生氣蓬勃；轉眼間，花草已長得十分茂密，原來，夏天已經到了。

接著，天氣轉涼，草木枯黃，那翠綠的山也變為土黃，感覺上，好似愈來愈遠了呢！沒多久，雪花紛飛，冬天又已來臨了。

欣賞

這是一首藉四季快速遞變來形容時光飛逝的詩。

春天是四季之始，草木抽出嫩芽，鳥雀枝頭歡唱，好不熱鬧！咦，才沒多久，夏天已經到了，草木繁茂，濃蔭片片。

跟著，秋天也趕來了，草木枯黃，群山轉成土黃色，不再是那亮而搶眼的滿山碧綠。因著顏色變暗，感覺上，山好像也愈走愈遠了呢！

可是，一忽兒，山又走近了，哦！原來是冬天已到，雪花飄降，滿山又披上一件銀白亮麗的雪衣了。

梅花

李中

五言絕句

羣木方憎雪，
開花長在先。
流鶯與蝴蝶，
不見許姻緣。

解註

① 群木：大部分的花草樹木。

② 憎：討厭。

③ 長：發育、滋生。

④ 在先：在前。

⑤ 流鶯：四處飛舞的黃鶯鳥。

⑥ 許姻緣：結親的意思。在此可解釋為陪伴。

詩意

一般的草木都厭惡嚴寒的冬天，獨獨堅忍的梅花毫不畏懼，在冰寒中，它已經率先綻放出動人的花朵了，勇敢地向上滋長。

那些平時四處飛舞的黃鶯和蝴蝶，在逼人的寒氣中，也都躲了起來，不肯來陪伴梅花姑娘呢！

欣賞

這是一首頌讚梅花的詩。

小朋友，你發現沒有，這真是一首十分可愛的詩？

花木本是沒有性情的，依先天習性依序生長，但是，詩人用了一個「憎」字，就把整首詩帶入一個活潑的氣氛中了。「花木討厭冰雪」，花木就像人一樣，也有喜怒哀樂了。

最後一句「許姻緣」用得也是既俏皮又可愛，黃鶯和蝴蝶不過是在花木上停歇或採花粉罷了，但詩人用了可愛的「許姻緣」三字，反倒倍增韻味。而梅花那堅忍不拔的精神，也就在這生動活潑的氣氛中表現出來了。

五言絕句

鋤②禾③日④當午，
汗滴禾下土。
誰知盤中飧⑤，
粒粒皆⑥辛苦。

解註

① 憫農：指同情農夫的辛勞。

② 鋤：當動詞，指鋤草、鋤土。

③ 禾：穀物。

④ 日當午：烈日當空的意思。

⑤ 飧：煮熟的食物，在此指米飯。

⑥ 皆：都。

詩意

烈日當空的正午，農夫依然拿著鋤頭在田裡辛勞工作。汗水一滴滴不斷滴落在田地裡。

當我們每天吃著香噴噴的白米飯時，有誰曾想到，碗中的每一粒米飯都是農夫辛苦耕種得來的呢？

欣賞

這是一首描述農夫辛勤刻苦的詩。

小朋友，你一定坐過火車吧！當火車從郊外經過，你是不是也發現到，那一片片的稻田中，總有農夫正辛勤地耕作著？

不曾身歷其境，我們很難想像得到，每餐擺在我們面前的米飯是如何地來之不易。一粒米，從播種、插秧、施肥、除蟲到收割、打穀、曬穀、碾米，不知花了農夫多少精神與血汗。

作者因為同情農夫的辛勞而寫了這首詩，他真正的用意便是要人們珍惜食物，你是不是也能明白？

五言絕句

白日②依山③盡，
黃河入海流。
欲④窮千里⑤目，
更上一層樓。

①鸛雀樓：樓名。在山西省，樓高三層。據說是因以前常有許多鸛雀棲息在上面而得名。

②依：靠著、順著。

③盡：在此指隱沒。

④窮：推求到極點。

⑤目：視野，即眼睛所能看到的範圍。

詩意

黃昏時，燦爛的夕陽靠著山邊，慢慢落下去。滾滾的黃河水，朝向東邊的大海奔流而去。站在這裡，能看到的十分有限，若想看得更遠，那就得再向上爬一層樓了。

欣賞

這是一首登高樓有所感而發的詩。

詩人寫詩時，常喜歡用倒裝法，讓詩句更別有一番味道。這首詩，前兩句用的就是倒裝法，正念即「白日盡依山，黃河流入海。」

王之渙藉著「欲窮千里目，更上一層樓。」兩句話來告訴我們：站得愈高，眼界就愈寬廣，心胸也愈開闊了。

然而，也還有另一層意義，也就是說，當我們想達到更高的理想與成就時，便必須付出更多的努力，克服更多的困難。「人往高處爬，水往低處流。」是千古不易的道理，不斷努力的人，成功終必屬於他。

江雪

柳宗元

五言絕句

千①山鳥飛絕②，
萬③徑人蹤滅④。
孤⑤舟簑⑥笠翁，
獨釣寒江雪。

解註

① 千山：比喻連綿不絕的山。

② 絕：盡、消失。

③ 萬徑：徑是小路，萬徑指無數的小路。

④ 滅：盡。

⑤ 孤：單獨。

⑥ 簑笠翁：穿簑衣、戴斗笠的漁翁。

詩意

綿延高聳的群山中，見不到一隻飛鳥；條條錯綜的小路上，也沒有一點兒人跡。

在白雪紛飛的江面上，只有一艘孤零零的小船。一位身披簑衣、頭戴斗笠的老漁翁，正獨自在寒冷的江面上垂釣。

欣賞

這是一首描寫雪景的詩。

小朋友，你見過雪嗎？臺灣氣候比較溫暖，因此，較不易有雪，若有機會，不妨到合歡山賞雪。下雪時的景象是十分美妙的，不過，卻也冷得凍人。

柳宗元筆下的「江雪」，那在鳥飛絕、人蹤滅的雪天中垂釣的老人，究竟有何意味呢？你或許會問：「天氣那麼冷，釣得到魚嗎？」其實，是否釣得到並不重要，柳宗元所要表現的，是那老人獨特的風格，儘管雪漫天、人跡絕，卻絲毫影響不了老人，他舉竿垂釣，自得其樂。

①尋②隱者不遇

賈島

五言絕句

③松下問④童子，
⑤言⑥師⑦採藥去。
只在此山中，
雲深不知處。

①尋：在此當拜訪、探望的意思。

②隱者：隱士、隱居而過著與世無爭生活的人。

③松：松樹。

④童子：小孩子。

⑤言：說。

⑥師：師父。

⑦採藥：採集藥草。

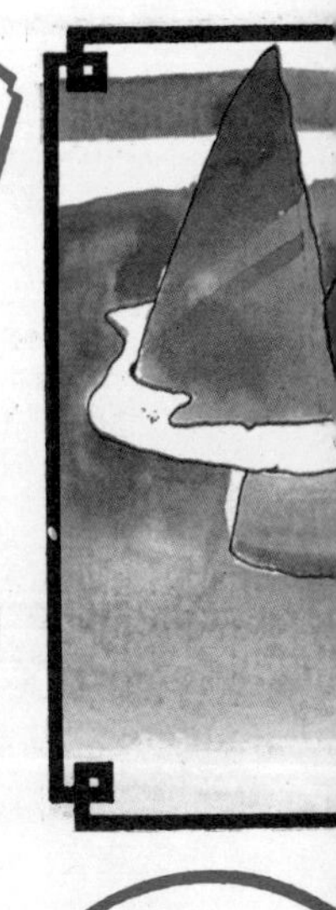

詩意

我到山裡去拜訪一位隱居的老朋友，他卻不在家。松樹下有位小孩童，於是，我上前問他。孩童說，他師父就在這山裡頭採集藥草。可是，這山裡雲霧既濃又密，也不知道究竟在哪裡才找得到他。

欣賞

這是一首探訪隱士而未能得見的詩，全詩四句是用問答的方式寫成，十分特殊。

古時候，一些學識精深或品德高尚的人，常因為對當前朝代不滿或為求得清靜，便隱居在深山中，整日與山水鳥雀為伍，過著簡樸而寧靜的生活，這些人就被稱為「隱士」。

詩人賈島所要拜訪的這位朋友，便是個隱士。由「只在此山中，雲深不知處。」兩句話，我們彷彿就看見了白雲層層，山嵐浮動的那景象。雖然由頭至尾，隱士始終沒有出現，然而他那悠然飄逸的行止，也已清晰地呈現在我們眼前了。

登樂遊原①

李商隱

五言絕句

向晚②意③不適，
驅④車登古原。
夕陽無限好，
只是近黃昏。

解註

① 樂遊原：長安城外的名勝，地勢很高。每年三月三日和九月九日，許多貴族都會來此賞遊。

② 向晚：向是臨近，向晚就是傍晚。

③ 意不適：心情不舒暢。

④ 驅車：駕車。

詩意

黃昏時，心情突然很不開朗，於是，就駕了車到樂遊原去散心。

這時，金紅色的夕陽正緩緩西下，散發出一片美麗的色彩，真是漂亮極了。

可是，這美景卻無法久留，轉眼間，都將隨著黃昏消失了。

欣賞

這是一首觸景傷情的詩。

李商隱一生過得並不順遂，不論在感情或官場上，都波折連連，也因此，寫出的詩常都頗有傷感味道。

當他來到樂遊原，原是想散散心的，誰知見到西斜的夕陽，想起自己也曾有過美好時光，而今年歲既大，仕途又不如意，不禁愁上加愁，感慨萬千。

樂遊原位在陝西省長安縣南邊，是長安附近地勢最高的地方，四面望去，十分寬敞，還可將長安城內的情形看得一清二楚，是著名的風景區。

渡漢江

李頻

五言絕句

嶺外②音書③絕④，
經冬復歷⑤春。
近鄉情更怯⑥，
不敢問來人。

解註

①漢江：即漢水。

②嶺外：指廣東、廣西一帶。嶺指五嶺，是分隔中國中、南部的五座山嶺。

③音書：音訊、書信。

④絕：斷絕。

⑤歷：經過。

⑥怯：害怕、畏懼。

詩意

自從旅居嶺外後，家中便全無消息。冬天已過，又經過了一個春天，離家已經好久了。

現在，我正渡過江水，就將回到家鄉了。可是，愈近家鄉，心中反而愈加緊張，連遇到迎面而來的鄉人，也不敢問他家鄉的情形。

欣賞

這是一首描寫遊子還鄉時矛盾心理的詩。

詩人李頻遠離家鄉，盼呀盼地，好不容易終於要回鄉了，那是多令人興奮的事！可是，即將踏入故園了，竟情怯起來，連遇到迎面而來的鄉人，都不敢問他故鄉的事，為什麼呢？

打從到嶺外後，家中就全無一點兒音訊，家裡有什麼變化沒有？家人可都安好？這就是歸鄉人情怯的原因啊！如果一切安好，那就皆大歡喜，可是，如果有什麼不好的變化……

歸鄉人邊走邊想，既想三步併作兩步奔回家，又害怕見著不願見到的場面，一顆心七上八下，簡直不知如何是好啊！

春怨

金昌緒

五言絕句

打起①黃鶯兒，②莫③教枝上啼。
啼時驚④妾夢，不得到⑤遼西。

解註

① 黃鶯兒：鳥名，又叫「黃鸝鳥」。

② 莫：不要。

③ 教：讓、使的意思。

④ 妾：古代女子自稱的謙詞。

⑤ 遼西：郡名，在今河北、熱河、遼寧一帶。

詩意

我起來打散那樹枝上的黃鶯兒，不讓牠們在枝頭上啼叫。因為我正作了一個甜美的夢，夢見自己要到遼西去，與久別的夫君相會，但那可恨黃鶯兒的啼叫聲卻在那時叫醒我了，讓我無法到遼西去。

欣賞

這是一首妻子想念丈夫的詩。俗話說：「日有所思，夜有所夢。」因為思念到了極點，連睡覺時，潛意識中都還念念不忘，於是，心中所想的，便往往會在夢中出現。

蓋嘉運筆下的婦人，為何打散黃鶯鳥，不讓牠在枝頭上啼叫呢？

因為婦人的丈夫遠到遼西去，婦人思念情切，卻又無法相見，好不容易在夢中見到了丈夫，正欣喜萬分，款款互訴相思之苦時，那黃鶯啼聲卻驚醒了婦人美夢。夢醒，夢中人兒也不見了，難怪婦人要氣恨那黃鶯兒。

答人

①太上隱者

五言絕句

偶來松樹下，
②高枕石頭③眠。
山中無④曆日，
⑤寒盡不知年。

①太上隱者：唐朝人，隱居在終南山，自稱太上隱者。

②高枕：比喻十分安閒，毫無憂慮。

③眠：睡覺。

④曆日：記載日期的曆書。

⑤寒盡：冬天過去。盡是完、結束。

詩意

偶然地，我來到松樹下，因為走累了，便枕著石頭，安然地在樹下睡覺。

在山中，因為沒有曆書，也就無法推算日期。雖然寒氣逼人的冬天已經過去了，我仍然不知道現在是何年何月何日呢！

欣賞

這是一首描述隱士生活的詩。

太上隱者並不是作者的真實姓名，但我們可以想見，他必然是位隱士。

瞧，他的生活過的真是悠哉，沒有都市的緊張，沒有都市的繁囂。他可以整日逍遙於山林間，傾聽鳥語，細聞花香。累了，枕著大石就睡，大地為床，浮雲為被，既不受環境也不受時光的拘束。

從詩句中，我們可以感受到隱士悠閒愜意的生活。

小朋友，遇著假日，也到山中走一走吧！享受一下純樸的山林風味。

秋夜寄邱員外①

韋應物

五言絕句

懷君屬②秋夜，
散步詠③涼天。
空山松④子落，
幽⑤人應未眠。

解註

① 邱員外：韋應物的朋友。員外是一種掛名的官，與正式官吏不同。

② 屬：正當、正值。

③ 詠：歌詠、吟詠。

④ 松子：松果、即松樹的果實。

⑤ 幽人：清高閒雅的人。

詩意

在這涼風吹拂的秋夜裡，我獨自一人散步、吟詩，不禁又勾起對你深深的思念。

空曠寂靜的山中，只聽見松果紛紛落地的響聲，面對這樣的良辰美景，我想，像你這麼清幽閒雅的人，一定也有所感而無法入眠吧！

欣賞

這是一首懷念友人的詩。

秋天，有人認為是個蕭瑟淒清的季節，有人卻認為是個富有詩意的季節。

對詩人韋應物來說，秋夜雖然充滿詩意，卻又引人愁思，思念起異地的朋友。

由詩中我們可以看出，詩人的朋友邱員外也是一位淡雅之士。詩人先寫出自己在此秋涼景致中對朋友的思念，而後再用猜想的語氣說：「老友，在此美景中，你一定也尚未入睡吧！」為什麼尚未入睡呢？其實，詩人隱藏在話中的意思是：「老友，你是否也正在想念我呢？」

五言絕句

功②蓋三分③國，
名成八陣圖。
江流石不轉，
遺恨失④吞吳。

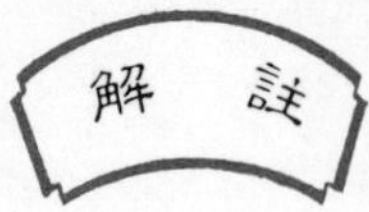

①八陣圖：諸葛亮推演兵法，用細石堆聚成的八門陣勢，其遺跡有三：一處在今陝西省；另二處在今四川省。

②蓋：超過。

③三分國：三分天下的魏蜀吳三國。

④吞：併吞。

詩意

論起諸葛亮的功業，在三國時代要算是最高的。

他排成軍事上著名的八陣圖，儘管江水日夜奔流不息，那八陣圖的石壘卻依然屹立，不曾流失。

遺恨千古的是他出兵征伐吳國，卻遭失敗。

欣賞

這是一首詠嘆諸葛亮功業的詩。

詩的前三句是對諸葛亮績業的頌讚，指出由於他的輔佐劉備，蜀國才得以和魏、吳並立天下，且他又作出「八陣圖」，功蓋三國。最末句則慨嘆諸葛亮伐吳的失敗，徒留餘恨。

「八陣」乃是一種兵法，黃帝按井田作出八陣法，打敗蚩尤。古來名將，懂得此法的，只有姜太公、孫武、韓信、諸葛亮、李靖幾人而已。

「八陣」即天、地、風、雲、龍、虎、鳥、蛇八陣，是諸葛亮所取的名稱。

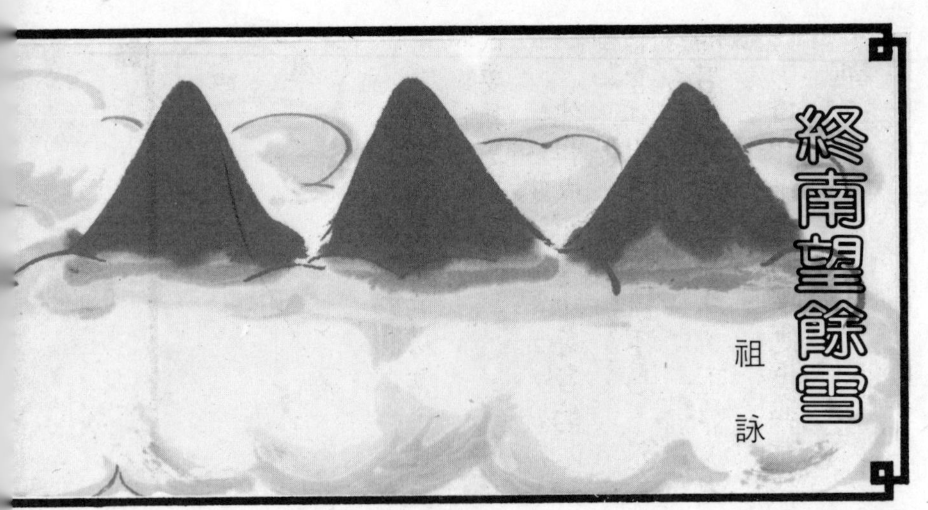

終南望餘雪

祖詠

五言絕句

終南①陰嶺②秀③，
積雪浮雲端。
林表④明霽色⑤，
城⑥中增暮寒⑦。

解註

①終南：指終南山。

②陰嶺：北嶺。陰是山的北面。

③秀：秀麗、美麗。

④林表：樹林外。

⑤明霽色：即霽色明。下雨或降雪後的日光稱霽色。

⑥城：指長安城。

⑦增暮寒：暮寒增。

詩意

終南山北嶺的景致特別秀麗，山頭上雪白的積雪，望過去就像浮現在雲層上端一樣。樹林外，降雨後初晴的陽光是那麼明媚動人。可是，到了傍晚時分，長安城中卻因為積雪的反照，更增添了幾許寒意。

欣賞

這是一首因見終南山積雪而有所感的詩。

詩人之所以能寫出流傳千古的詩，不僅是因天分和努力，還必須有豐富的想像力，縝密的觀察力和細膩的情感，才能對周遭事物有深刻感受，而在筆下表現出來。

這首詩的末兩句「林表明霽色，城中增暮寒。」用的也是前面所說的倒裝法，正念則是「林表霽色明，城中暮寒增。」

全詩的前三句描述終南山雪景和雪後初晴的明媚，到了末句，筆鋒一轉，積雪融化時，溫度最低了，詩人想及此，不禁為城中受凍的百姓深深憂慮啊！

回鄉偶書

賀知章

七言絕句

①少小離家②老大回，
③鄉音無改④鬢毛⑤摧，
兒童相見不相識，
笑問⑥客從⑦何處來。

解註

①少小：年幼。

②老大：年老。

③鄉音：家鄉的口音。

④鬢毛：耳朵前邊兩頰地方的頭髮。

⑤摧：凋落。

⑥客：客人。在此指賀知章自己。

⑦何處：什麼地方。

詩意

我年紀很小時就離開家鄉，直到年老了才又回來。雖然我的家鄉口音並沒有改變，然而，鬢髮卻已經斑白稀疏了。鄉裡的兒童見了我，全都不認識，他們笑著問道：「客人，您是從哪兒來的呢？」

欣賞

這是一首詩人自述久居異地返鄉時的感慨詩。

詩人先說到自己從小離家在外，年紀一大把了，才回到家鄉。

「鄉音無改鬢毛摧」告訴我們，儘管詩人都已髮蒼蒼了，他依舊鄉音未改，可見得在這一段悠悠歲月中，詩人一絲兒也無法減低對家鄉的思念啊！

然而，故鄉的孩童卻根本不認得他，當他是外來客。詩人本是「主人」，倒反成「客人」，原先回鄉的喜悅，禁不住被感傷年華逝去的情懷所取代。

①詠柳

賀知章

七言絕句

②碧玉③妝成一樹高，
萬條垂下綠④絲絛。
不知細葉誰⑤裁出，
二月春風⑥似剪刀。

解註

① 詠柳：歌詠柳樹。

② 碧玉：青翠的玉石。

③ 妝：妝扮、打扮的意思。

④ 絲絛：用絲編成的帶子。

⑤ 裁：用工具割開或剪開。

⑥ 似：像。

詩意

那一棵棵青翠的柳樹，就像是用晶瑩的翠玉妝扮成的一般。一條條垂掛著的柳條兒，更像是千萬條迎風招展的絲帶。

這麼漂亮的細葉子，究竟是誰剪裁出的呢？啊！那二月柔和的春風，不就像是一把精巧的剪刀嗎？

欣賞

這是一首稱頌柳樹之美的詩。柳樹，是常可見到的植物，池塘邊，河岸旁，當那青蔥翠綠的柳條兒迎風搖曳生姿時，你說，是不是真像跳舞的姑娘手中舞動的絲帶呢？

這首詩，最別緻的就是在最後二句了。「不知細葉誰裁出，二月春風似剪刀。」讓人腦海中禁不住浮現出一幅這樣的情景：一位滿臉笑容的風伯伯手中拿著剪刀，正仔細地裁剪那嫩綠的柳條兒。他剪一剪，看一看，滿意地點了點頭，笑意更濃了。

你是不是也好喜歡這首詩呢？

①清明

杜牧

七言絕句

清明時節雨紛紛，
路上行人欲斷魂②。
借問③酒家④何處有，
牧童遙指杏花村⑤。

註解

①清明：節氣名。每年四月四、五、六日為清明。

②斷魂：憂傷難過的意思。

③借問：請問。

④酒家：賣酒的地方。

⑤杏花村：古代鄉村賣酒的地方。

詩意

清明時節裡，天色陰霾，細雨又綿綿不斷，顯得十分淒迷。路上行人見了這種景象，心情也跟著變得憂傷沉重起來，便向路旁的牧童請問何處有賣酒的地方。牧童舉起手來，指了指遠方的杏花村。

欣賞

這是一首清明時節的感懷詩。

清明是節氣的名稱，一年共有二十四節氣。春、夏、秋、冬，每一季各有六節氣，依序排出是這樣的：

春季：立春、雨水、驚蟄、春分、清明、穀雨。

夏季：立夏、小滿、芒種、夏至、小暑、大暑。

秋季：立秋、處暑、白露、秋分、寒露、霜降。

冬季：立冬、小雪、大雪、冬至、小寒、大寒。

①泊②秦淮

杜牧

七言絕句

煙③籠寒水月籠沙，
夜泊秦淮近酒家。
④商女不知亡國恨，
隔江猶唱⑤後庭花。

解註

①泊：船靠岸。

②秦淮：即今南京城的秦淮河。

③籠：籠罩、覆蓋。

④商女：酒店裡賣唱的歌女。

⑤後庭花：曲名，陳後主所作，後人以這首曲子來代表萎靡的亡國之音。

詩意

朦朧的煙霧籠罩著寒冷的河水，迷濛的月光也布滿了整片沙灘。我將船停靠在接近酒家的秦淮河畔。

酒店裡的歌女似乎不了解亡國的恥辱，隔著江水，還在唱著「玉樹後庭花」那首亡國之音。

欣賞

這是一首憂國傷時的感慨詩。

詩人杜牧在一個淒冷的夜晚將船停靠在秦淮河邊，卻聽到對岸那不知亡國恨的歌女還在唱「玉樹後庭花」曲，不禁感慨萬千，寫下這首詩，用來警惕世人。

南朝的陳後主名叔寶，即位後，便沈醉於酒色中，日日與妃嬪遊宴做詩，絲毫不理政事，連隋朝大軍迫近了，還泰然自若的賦詩飲酒，繼續行樂，終於為隋所滅。

這首「玉樹後庭花」便是陳後主所作，詞句十分哀怨，毫無朝氣，後代的人就用它來代表亡國之音。

贈別

杜牧

七言絕句

多情卻似①總無情，
唯覺尊②前笑不成。
蠟燭有心還惜別，
替人垂淚③到天明。

註解

①似：好像。

②尊前：「尊」與「樽」同義，酒杯的意思。尊前在此是指面對著離別的筵席。

③垂淚：指蠟燭燃燒時，燭油滴滴落下，如同流淚的樣子。

詩意

我們雖然情深似海，然而，在這離別時刻，反而像是無情一樣了。面對著離別的筵席，雖想故作輕鬆，卻怎麼也裝不出笑臉。

席上的蠟燭似乎也感染了這離愁，它一滴滴落下淚來，為我們哭泣到天明。

欣賞

這是一首與情人離別的情詩，是詩人杜牧在唐文宗太和九年所寫的。

當時，杜牧與揚州的一對姊妹花感情正濃，卻因升官而不得不離開揚州；臨別前夕，杜牧前去辭行，那一對姊妹花便為他餞行。

飲到微醉時，離愁也更濃了，杜牧黯然神傷，當場就吟了兩首情深意切的詩送她們，這便是第二首。

明明是有情，卻反像是無情；明明是自己泫然欲泣，卻又只能以燭淚替代，情人分別時的惆悵傷懷，的確在這首詩中表現得淋漓盡致了。

①秋夕

杜牧

七言絕句

銀燭秋光冷②畫屏，
③輕羅小扇撲④流螢。
⑤天階夜色涼如水，
臥看牽牛織女星。

解註

① 秋夕：秋夜。夕是夜晚。

② 畫屏：畫有美麗圖案的屏風。

③ 輕羅小扇：用輕絲做成的小團扇。

④ 流螢：飛動的螢火蟲。

⑤ 天階：露天的石階。

詩意

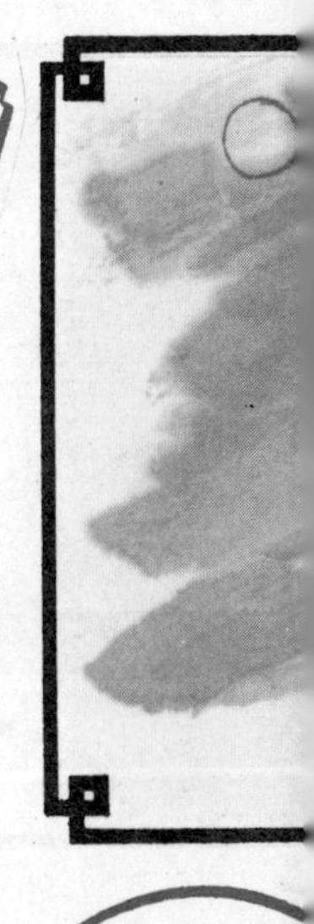

秋天的月光，像一盞銀白色的燭光，映在畫屏上，透出幾許涼意。小女孩們拿著輕絲做成的小團扇，笑鬧著追撲滿天飛舞的螢火蟲。

月光下的石階，晶瑩似水，我斜臥在石階上，看那銀河兩側的牛郎、織女星。

欣賞

這是一首描述秋夜的詩。

秋天的夜裡，本來就有幾分涼意的，但是，詩人的想像力就是那麼豐富，用「銀燭秋光冷畫屏」來將那涼意表示出。

「輕羅小扇撲流螢」，這句詩雖然並未指出主詞是誰，然而，我們可以想像得出，會拿著小團扇追逐螢火蟲的，必然是小女孩了。

最末一句「臥看牽牛織女星」，事實上，並不只是「看星」，而是詩人在這盈盈秋光、小扇撲螢、夜涼如水的景致中，禁不住望著星空，沈醉在牛郎織女那纏綿悱惻的愛情故事中了。

山行①

杜牧

七言絕句

遠上寒山②石徑③斜，
白雲④深處有人家。
停車坐愛楓林晚，
⑤霜葉紅於二月花。

註解

① 山行：上山裡去。

② 石徑：石板鋪成的小路。

③ 斜：在此指彎彎曲曲的意思。

④ 白雲深處：山高處就像籠罩在白雲中一般，故白雲深處就是指深山。

⑤ 霜葉：楓葉。

詩意

我坐著車子，來到遙遠的山中，山裡空氣很好，車子順著蜿蜒的小路而上，直到深山裡，才發現有住家。

我停下車子，欣賞那比二月花還要鮮紅豔麗的楓樹林，心中喜愛萬分，連天色已暗都捨不得離去。

欣賞

這是一首詩人敘述上山賞玩的詩。

或許小朋友會覺得奇怪，「寒山」二字究竟是什麼意思呢？

其實，「寒山」是指山裡氣溫低，空氣沁涼的意思，因為愈入深山，空氣便愈低。詩人不明寫出氣溫低，卻用「寒山」來表示，不是更有詩意嗎？

詩人來到雲氣籠罩的深山裡，不禁被那一大片嫣紅的楓葉吸引住了，看了又看，怎麼看怎麼愛，連天暗了都不忍離去。

你可曾有過這種因見到自己喜愛的景色而流連忘返的經驗呢？

①赤壁

杜牧

七言絕句

折②戟沈沙鐵未銷，
自將磨洗認③前朝。
東風不與④周郎便，
⑤銅雀春深鎖二喬。

解註

①赤壁：山名，在今湖北省。赤壁之戰發生於此。

②戟：古代的兵器。

③前朝：前代。在此指三國時代。

④周郎：周瑜。

⑤銅雀：銅雀臺。在今河南省，為曹操所築。

詩意

有一支折斷的戟埋在沙地裡，上頭鐵製部分還沒鏽壞。我將它磨洗一番，認出那是三國時的遺物。當年赤壁之戰，若非有東風幫助周瑜，利用火攻打敗曹操的話，恐怕江東二大美人大喬和小喬，早被曹操擄去，關在銅雀臺裡了。

欣賞

這是一首因見古物而有所感懷的詩。詩人對事物的感受，通常總是比一般人來得深刻，因此，當杜牧見到了三國時代的殘戟，思潮便禁不住陷入三國時代了。

當年，曹操發動大軍攻伐吳國，蜀國與吳聯合對抗，雖然蜀吳兵力遠在曹操之下，但是諸葛亮和周瑜以智取，利用東風與火攻，終於大敗曹操，造成歷史上有名的「赤壁之戰」。

二喬是東漢喬玄的兩個女兒，大喬嫁給吳主孫權的哥哥孫策，小喬則嫁給吳國大將周瑜，兩人都為國色天香，是當時有名的江東二美人。

下江陵①

李白

七言絕句

朝辭②白帝③彩雲間，
千里江陵一日④還。
兩岸猿聲⑤啼不住，
輕舟已過萬重山。

解註

①江陵：地名，今湖北省江陵縣。
②白帝：白帝城，在四川省白帝山上。
③彩雲間：形容白帝城地勢很高，彷彿位於雲層中一般。
④還：抵達。
⑤啼不住：不停地啼叫。

詩意

一早我就離開了籠罩在彩雲間的白帝城，坐船順流而下。舟行快速，遠在千里外的江陵，一天之內便可抵達。

只覺江水兩岸猿猴的啼叫聲似乎還在耳畔響著，而輕巧的小船已繞過無數座高山了。

欣賞

這是一首描述旅途的詩。

你是不是也發覺了，這是一首相當活潑的詩？似乎詩人李白當時的心情十分輕鬆愉快。當然嘍，因為那時李白正要回家呀！

你看，他多麼地迫不及待，一早就辭別白帝城，興奮萬分地上船啟程，輕巧的船兒在江面上如箭般穿梭，一忽兒，就繞過好幾座高山了。

人的心境如何，對外界事物的感受就如何。愉快時，覺得一切都萬分美好；懊惱時，什麼都看不順眼。讀這首詩，最能體會李白當時的心情了。

送孟浩然①之②廣陵③

李白

七言絕句

故人④西辭黃⑤鶴樓，
煙⑥花三月下揚州。
孤帆遠影碧⑦空盡，
惟見長江天際流。

解註

① 孟浩然：詩人。

② 之：往、去。

③ 廣陵：揚州，今江蘇省江都縣。

④ 故人：老朋友。

⑤ 黃鶴樓：樓名，在今湖北省。

⑥ 煙花：形容春天百花爭放的情景。

⑦ 碧空：青山。

詩意

我的老友孟浩然向西辭別了黃鶴樓，在這百花齊放，花海如煙般的三月裡要到揚州去。

那孤零零的帆影漸行漸遠，終於消失在青山的盡頭。只看見那悠悠的長江水，依舊不停地向天邊奔流而去。

欣賞

這是一首送別朋友的詩。

李白有一首「贈孟浩然」詩，一開頭，他便寫道：「吾愛孟夫子，風流天下聞。」由此可知李白對孟浩然確是情誼深重。

百花爭妍鬥麗的三月天，原是充滿歡悅氣氛的，誰知竟要與好友分離，怎能不令人倍加傷感呢？

眼見好友上船遠去，李白眼中再也看不到其他來往的船隻了，因為他的心神已經全都投注在那艘船上，對他來說，江面上彷彿只剩下那艘孤船。孤船載走了好友，也載走了他的心。

山中答問

李白

七言絕句

問①余何事②棲③碧山，
笑而④不答心自⑤閒。
桃花流水⑥杳然去，
別有天地非人間。

解註

①余：我。

②棲：停留、住的意思。

③碧山：碧是翠綠，碧山指翠綠的山。

④不答：不說話。

⑤閒：在此指寧靜、安閒的意思。

⑥杳然：深遠、幽深。

詩意

你問我為何住在這綠意盎然的山中，我安適地笑笑，沒有說什麼。

在這裡，日子過得十分詳和。春去秋來，落花隨著流水悄然漂去，到深遠不可知的地方。此處簡直不像人間，倒如同仙境呢！

欣賞

這是一首描述隱居樂的詩。

每個人都有自己喜愛的生活方式，有的人喜愛住在都市裡，有大廈、有轎車、有冷氣、享受最現代的生活設備；有的人卻喜愛鄉村那簡樸的生活。

李白是浪漫派的詩人，他喜好的是無拘無束的山中生活，別人問他山中生活有什麼好，他笑一笑，不說話，為什麼呢？因為那種生活的美妙是只可意會，不可言傳的呀！

花開花落，水流不息，隱居在這遠離塵世的地方，真有如在仙境中一般，著實妙不可言啊！

①客中作

李白

七言絕句

②蘭陵美酒③鬱金香，
玉④椀盛來⑤琥珀光。
但使主人能醉⑥客，
不知何處是他鄉。

解註

①客中作：在外地作客時所作的詩。

②蘭陵：地名，在今山東省。

③鬱金：植物名。可用來浸酒。

④椀：盛酒的小碗。

⑤琥珀：黃褐色的化石，可製成飾品。

⑥客：指作者自己。

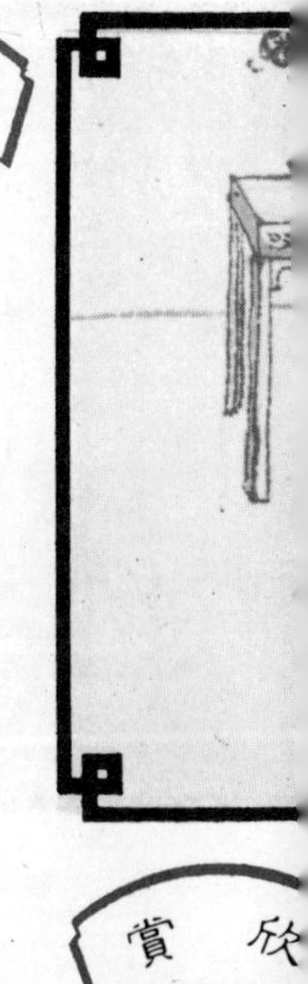

詩意

蘭陵地方的美酒是用鬱金浸成的，因此，含有鬱金特殊的香味。將它用玉碗盛起來，便發出琥珀般晶瑩剔透的色彩。

只要主人的這些美酒能讓我沈醉，那麼，我也就不覺得自己身處異鄉了。

欣賞

這是一首藉酒發抒旅途感懷的詩。

由字面上來看，或許小朋友會覺得這首詩是在稱讚蘭陵鬱金美酒的香醇，其實，這首詩却有它隱藏的含意。

遊子生涯之苦，旁人常常是無法體會出的，因此，李白也不願明講，他只說：「假如這美酒能讓我沈醉，我也就不覺得自己身處異地了。」

有句話說：「一醉解千愁。」身處異鄉，李白心中有許多感懷，而今美酒當前，他不禁要喝它個醉了，好讓自己忘掉飄泊異鄉的千萬縷愁思。

閨怨

王昌齡

七言絕句

①閨中少婦不知愁，
春日②凝妝上③翠樓。
忽見④陌頭楊柳色，
悔教夫壻⑤覓封侯。

註解

① 閨：即閨房，指女子所住的房間。

② 凝妝：刻意地修飾打扮。

③ 翠樓：華麗的樓臺。

④ 陌頭：指田間的小路。

⑤ 覓封侯：追求功名富貴。

詩意

住在深閨中的少婦從不知什麼叫愁。春天到了，她刻意妝扮一番，登上華麗的樓閣欣賞美好春光。忽然，她看到田埂邊隨風飄舞的翠綠楊柳，想到如此美景竟無人共賞，不覺愁上心頭，深深懊悔當初教夫君離鄉背井去求取功名。

欣賞

這是一首描寫少婦見景思人的悔恨詩。古代不比現代男女平等，在當時，女子是不能隨便出門的，成天都得乖乖待在家裡。春天，是個風光明媚的季節，怪不得連待在深閨中的少婦都忍不住要刻意打扮一番，上翠樓瀏覽春景了。可是，當她上樓，一瞧見那青蔥翠綠的柳條兒，原本歡暢的心情卻陡然往下沈了，為什麼呢？

因為，她忽然覺悟到，孤零零一人賞玩春色竟是如此單調乏味，但是，這除了怨自己，又怨得了誰呢？當初是自己催迫丈夫出外求取功名富貴的呀！

出塞①

王昌齡

七言絕句

秦時明月漢時關，
萬里長征人未還。
但使②龍城飛將在，
不教胡馬度③陰山。

解註

①塞：邊防要地。

②龍城飛將：龍城為地名，在今漢北，漢朝屬右北平郡。漢武帝時，李廣曾駐守右北平，匈奴人聞其名而喪膽，稱他為飛將軍。

③陰山：山名，是中國北方的屏障。

詩意

皎潔的明月高掛天際，就和秦朝的明月完全一樣；邊防關塞也和漢代的邊防關塞完全一樣，但是，遠征沙場的戰士卻都沒有回來。

要是當年駐守龍城的飛將軍李廣還在的話，必定不會讓胡人的兵馬越過邊界來侵犯我們。

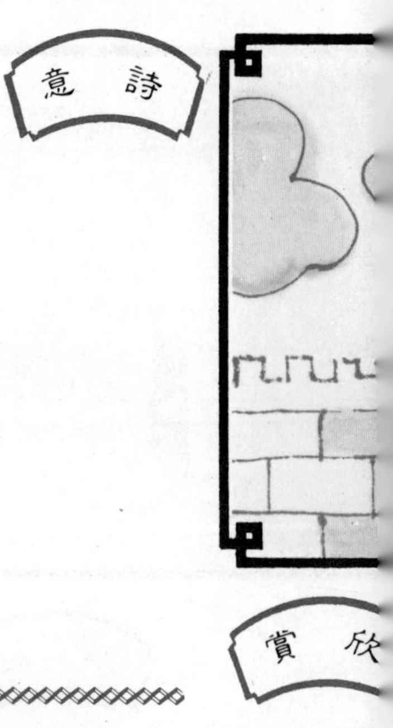

欣賞

這是一首邊塞的感懷詩。

王昌齡是位擅長於描寫邊塞詩的詩人。由這首詩中，我們可以深深體會出王昌齡厭戰而又無奈的心理。

首先，他指出明月依舊皎潔，關口也依然不變，然而，出征的將士卻已戰死沙場不復返了。為了國家安全，他也明白戰爭是無法避免的，但是，若有如李廣般優秀的將領統帥大軍，胡人怎敢輕易越界侵犯呢？

詩人愛好和平，厭惡戰爭，只期望國家能有良將鎮守，好確保四境安全，不再有征人不還的悲劇發生。

①芙蓉樓送②辛漸

王昌齡

七言絕句

寒雨連江夜入③吳，
④平明送客楚山孤。
⑤洛陽親友如相問，
一片冰心在⑥玉壺。

解註

① 芙蓉樓：樓名。在今江蘇省。

② 辛漸：人名。王昌齡的朋友。

③ 吳：即今江蘇省。

④ 平明：天剛亮的時候。

⑤ 洛陽：地名，在今河南省。

⑥ 玉壺：玉製的壺。

詩意

在滿江淒雨的夜晚，我來到吳地。第二天清晨，我送你上路，眼前只剩下和我一般孤獨的楚山。你去到洛陽，那邊的親友如果問起我的近況，請告訴他們，我的心境就像裝在玉壺中的冰一般澄靜高潔，毫無雜念。

欣賞

這是一首送別朋友的詩。

王昌齡原在北方當官，因為不重小節，被貶到江南來。被貶，心情自然是極為沈重的，因此，抵達那晚的夜雨對他而言，便成為一場淒風苦雨了。誰知，第二天一早又要送朋友離去，怎不令人哽咽！

但是，第三、四句語氣便完全不同了，王昌齡並不因仕途遭挫折而頹唐喪志，他要友人告訴故鄉的親友們，雖然環境不順利，他依然心意澄澈，高潔自愛，並不自甘下流。

小朋友，王昌齡這種精神，實在值得我們敬佩與學習啊！

從軍行

王昌齡

七言絕句

①青海長雲暗②雪山，
孤城遙望③玉門關。
黃沙百戰穿金甲，
不斬④樓蘭終不還。

解註

① 青海：今青海省。

② 雪山：即祁連山，因為終年積雪，所以又稱雪山。

③ 玉門關：關名。在今甘肅省，為古代通西域的要道。

④ 樓蘭：國名。西域諸國之一。在此可泛指為敵人。

詩意

無際的烏雲籠罩在青海上空，那雪白的祁連山因而也變昏暗了。戍守在孤零零邊城上的戰士，遙望著故園玉門關，思念家人。在滾滾黃沙中，戰士身歷百戰，連盔甲都磨破了，但是仍然立下誓言：不消滅敵人，絕不回鄉。

欣賞

這是一首豪壯的邊塞詩，由戍守的孤苦中，展露出將士激昂的鬥志。

不曾經歷過戰亂的人，很難瞭解戰亂時的艱苦，更難瞭解到守邊將士身心各方面所受的壓力。

守邊戰士遠離家園親人，整日面對的是無垠的漫天黃沙和凶險狡詐的敵人，戰爭始終不間斷，連堅韌的盔甲都已磨穿了。

戰士們遙望玉門關，心裡真是巴望早日進關回鄉，然而，儘管如此，他們依然堅持「國家第一」的信念，發誓「不破敵，不返鄉！」這是多麼感人的英雄本色啊！

①夜雨寄北

李商隱

七言絕句

君問②歸期未有期，
巴山③夜雨漲秋池。
④何當⑤共翦西窗燭，
却⑥話巴山夜雨時。

解註

①夜雨寄北：指作者在一個雨夜裡，寫信到北方去。

②歸期：回家的日期。

③巴山：在四川省。

④何：何時。

⑤共翦西窗燭：在西窗下翦燭談心。

⑥話：談。

詩意

你問我何時才能回去，我自己也不敢確定。今晚巴山正下著大雨，秋水漲滿了池塘。不曉得那一天才能回去和你相聚，一起坐在西窗下翦燭夜談，讓我將今日巴山夜雨的情景細細告訴你。

欣賞

這首詩的內容是一封思念的信。有人說，這是李商隱由四川寄給北方妻子的信，也有人說，那是寄給朋友的，不管是寄給誰，我們都可以看得出來，他們之間有很深的情誼。

因為相隔兩地，只有藉信訴思情，期待相見時的秉燭夜談。

或許小朋友會問：「什麼叫翦燭呢？」古代，人們用蠟燭照明，而蠟燭的燭芯是用棉線捻成的，燒久後會焦黑，影響蠟燭的燃燒，所以，每過一段時間就要將舊蠟燭挑出來翦掉，以保持光度，因此就叫「翦燭」。

①嫦娥

李商隱

七言絕句

②雲母屏風燭影深，
③長河漸落曉星沈。
嫦娥應悔偷④靈藥，
碧海青天夜夜心。

解註

①嫦娥：神射手后羿的妻子。據說她因為偷吃了丈夫的長生不死藥，便飛上月亮，永遠住在月宮裡。

②雲母屏風：用雲母石製成的屏風。

③長河：銀河。

④靈藥：仙藥。

詩意

燭光在晶瑩剔透的雲母屏風上，映照出深沈的影子。天已微明，銀河漸漸稀疏，星星也悄然沈沒。

嫦娥必然後悔當初偷吃仙藥，而飛上月宮吧！以致在遼闊似海的青天上，夜夜寂寞孤獨。

欣賞

這是一首月夜的感懷詩。

李商隱究竟感懷什麼呢？原來，他是想起了嫦娥，他想：「嫦娥一定也很悔恨當初偷吃靈藥，以致孤零零地獨守月宮吧！」

在傳說中，嫦娥的故事是這樣的：嫦娥是夏朝國君后羿的妻子，后羿為了想長生不死，特地去向西王母求得靈藥，想和嫦娥分享。

誰知，嫦娥竟起了貪念，趁著后羿不注意，就獨自將一瓶仙藥喝光了。她哪裡知道，那仙藥若二人分享，便會長生不死；若一人喝光，卻會飛上天去，於是，自那時起，嫦娥便只有孤零零地守在月宮裡了。

①賈生

李商隱

七言絕句

②宣室求賢訪③逐臣，
賈生④才調更⑤無倫。
可憐夜半⑥虛前席，
不問⑦蒼生問鬼神。

①賈生：賈誼。
②宣室：在此指漢文帝。
③逐臣：被貶逐的臣子。

④才調：才學。
⑤無倫：無可比。
⑥虛前席：空出座位。禮賢下士之意。
⑦蒼生：百姓。

詩意

漢文帝為了求取賢才，便訪召那些被貶逐的臣子。在那些臣子中，以賈誼才學最好，無人比得上。令人嘆息的是，文帝雖能在半夜裡訪召賢士，卻不懂得詢問民生疾苦，反倒儘是問些鬼神的事，真是不智之舉啊！

欣賞

這是一首對賈誼的懷才不遇有所感慨的詩。

賈誼才學過人，聰明蓋世，對當時社會、政治的革新有很大貢獻，頗受文帝重視，想進一步升遷他，誰知卻引起一般老功臣的不滿，群起反對，文帝不得已，只好將他外放。

這首詩便是感嘆文帝雖能在半夜訪召賢臣，然而，面對如此賢才，他並不請教治民之道，卻反倒盡問些虛幻的鬼神之說，真是不懂得珍惜人才啊！

另一方面，或許仕途坎坷的李商隱也是以此詩影射自己的懷才不遇吧！

觀游魚

白居易

七言絕句

①遶池②閑步看魚遊，
③正值兒童弄④釣舟。
一種愛魚心各⑤異，
我來⑥施食⑦爾垂鉤。

註解

①遶：同「繞」。

②閑步：散步、隨便走走。

③正值：正好遇到。

④釣舟：釣魚的小船。

⑤異：不同。

⑥施食：指拿食物餵魚。

⑦爾：你。

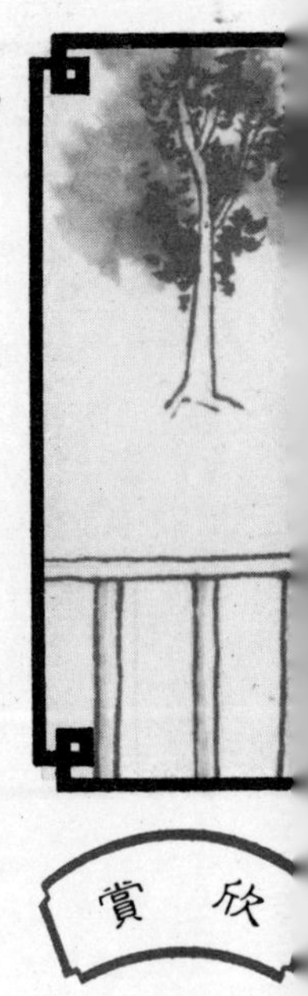

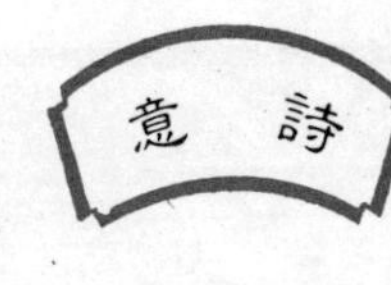

詩意

閑著沒事，因此，我到小湖邊走走，看湖中那悠游自在，游來游去的魚兒。却正好碰見兒童們坐上了釣船，準備釣魚。

唉！同樣都是愛魚，想法卻完全不同。我是來餵魚的，你們卻是垂下釣鉤，想鉤起魚兒。

欣賞

這是一首因觀魚而有所感觸的詩。詩人喜愛大自然，他們熱愛山水、花木、鳥獸。你看，詩人常喜歡用「擬人法」來寫詩，可見得在詩人眼中，大自然的一切都是和人類一樣寶貴的。

詩人白居易閒來無事，於是，走到小湖邊餵餵魚兒，看那魚兒悠游自在地戲水，他也感染了那份閒適。誰知，却看見兒童們拿著釣竿來了，他們坐上船，垂下釣餌。

啊！詩人看到這一幕，是如何地不忍心啊！魚兒原本悠游自在，為什麼要去破壞牠們的快樂呢？

鳥

白居易

七言絕句

誰①道②羣生性命③微？
④一般骨肉一般皮。
勸君莫打枝頭鳥，
⑤子在巢中⑥望⑦母歸。

解註

①道：說。

②群生：所有的生物。在此是專指鳥而言。

③微：小。

④一般：在此指相等、相同的意思。

⑤子：小鳥。

⑥望：盼望。

⑦母：母鳥。

詩意

誰說鳥兒的性命微不足道，不足重視？

牠們也和人類一樣，有骨、有肉、有皮膚。

勸您別打枝頭上的鳥兒，您可知道，小鳥正在巢中盼望牠的母親快快回巢呢！

欣賞

這是一首悲憫鳥兒的詩。

白居易是唐朝詩人中，詩作得最多的一位，他的詩平易近人，頗受歡迎。據說，當時東北雞林國的宰相最愛讀他的詩了，不惜以一首詩一金的重價向商人購買他的詩。

讓我們來想想這首詩的含意。小朋友，你是不是也曾拿彈弓打鳥呢？如果有，你可知道，鳥兒也跟人一樣，有爸爸、媽媽，小鳥兒需要父母照顧，就像你需要父母照顧是一樣的。

當你打鳥時，有沒有想到過，那或許是一隻鳥媽媽，而牠的小寶寶正在窩裡等著牠回去餵食呢！

①暮江吟

白居易

七言絕句

一道②殘陽鋪水中，
③半江④瑟瑟半江紅。
⑤可憐九月初三夜，
⑥露似⑦眞珠月似弓。

解註

①暮江：指黃昏時的江景。

②殘陽：夕陽。

③半江：半邊江水。

④瑟瑟：本來是一種綠色寶石的名字，在此當綠色講。

⑤可憐：令人憐愛。

⑥露：露珠兒。

⑦真珠：即珍珠。

詩意

一道夕陽映照在水中，染紅了半邊江水。於是，江面一半是綠色，另一半卻變成了紅色，十分動人。

這九月初三的秋夜真是令人萬分憐愛，晶瑩的露珠兒似珍珠，彎彎的月姐兒似把弓。

欣賞

這是一首吟詠江邊暮色夜景的詩。雖然只有短短幾句話，內容卻是相當美麗動人，我們一起來看看：

太陽一步步朝西走，想回那山後的家，但是，它也不甘心說走就走呢！仍然依戀地走一步一回頭；那絢爛的身影映在江面上，咦！連江水都變色了呢！半江閃耀著瑰麗的紅彩，半江卻映著寶石般碧綠的波光。

終於，太陽隱入山後了，月兒升起。瞧！那彎彎的上弦月可不真像把弓嗎？草木上的露珠兒更是晶瑩剔透得像真珠一般。哎！這九月初三的夜色真是叫人萬分憐愛呀！

江南①逢李龜年②

杜甫

七言絕句

③岐王宅裏尋常見，
④崔九堂前幾度聞。
正是江南好風景，
落花時節又逢君。

解註

① 江南：長江以南的總稱。

② 李龜年：唐玄宗時有名的樂師，後來流落到江南去。

③ 岐王：唐玄宗的弟弟，以好文學並雅愛文人著稱。

④ 崔九：指崔滌，為唐玄宗的寵臣。

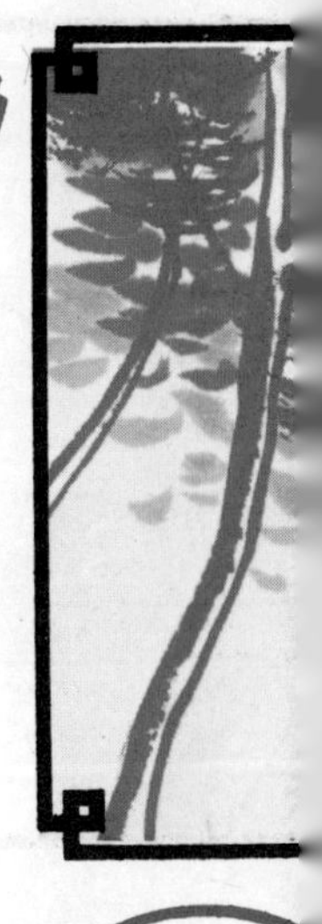

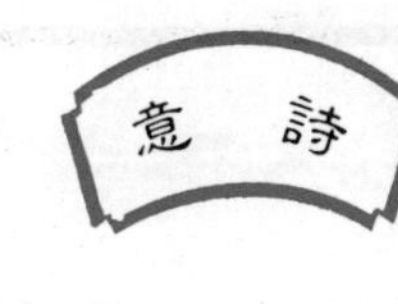

詩意

從前，我經常在岐王的府第裡見到你；在崔九的廳堂上，我也曾幾次聽過你的演奏。江南本是個風光明媚的好地方，然而，在這落拓流離的景況下，我和你再度相見，心中不免覺得萬分感傷。

欣賞

這是一首感嘆今昔景況差別的詩。詩前兩句寫的是昔日風光，後兩句則是感傷今日。想起昔年，那時，李龜年仍備受禮遇，因此，得以常在岐王府中出入，又在崔九堂上演奏。曾幾何時，李龜年却流落到江南來，兩人相逢，真是不勝唏噓：「想當年，一切都安詳美好，如今却兵連禍結。江南本是風光明媚的地方，為什麼偏偏我們却在動盪流離之際於此相見呢？豈不叫人倍增感傷！」詩中最末句的「落花時節」是比喻流落的景況。

絕句

杜甫

七言絕句

兩個黃鸝①鳴翠柳，
一行白鷺②上青天。
窗含西嶺千③秋雪，
門泊東吳④萬⑤里船。

解註

①黃鸝：黃鶯。

②白鷺：即白鷺鷥，羽毛純白，嘴長而尖，棲息在水邊，以捕食魚類維生。

③千秋：千年。

④東吳：今江蘇省吳縣一帶。

⑤萬里：兼指萬里路和萬里橋。

詩意

兩隻黃鶯兒在青翠的柳樹上唱歌，水邊棲息的鷺鷥成行地飛上青天。窗面上映著的是西嶺上那白皚皚的千年積雪。

萬里橋就在門外不遠處。那兒正停靠著一艘由萬里外東吳駛來的船。

欣賞

這是一首歌詠春天景色的詩。

如何知道這是春天景色的呢？讓我們看看第一句「兩個黃鸝鳴翠柳」──鳥兒唱歌，柳條青翠，這不就告訴我們春天到了嗎？

白鷺鷥成行飛上天，窗面上映著西嶺千秋雪，看上去就好像是一幅加了框的山水畫一般。這句「窗含西嶺千秋雪」寫得真是妙透了！

萬里橋的西邊就是杜甫家，杜甫從門邊看去，正好看見那停泊的船隻。

此處的「萬里船」用得也很妙，因為，從東吳到四川正好約萬里，而停泊處又是萬里橋，一語雙關，真令人拍案叫絕！

春雪

韓愈

七言絕句

新年都未有芳華①，
二月初驚見草芽②。
白雪卻嫌③春色晚，
故④穿⑤庭⑥樹作飛花。

解註

①芳華：在此指花開的意思。

②芽：植物初生的嫩苗。

③嫌：不滿意。

④故：當故意或所以解釋。

⑤穿：穿梭，來去不停的意思。

⑥庭：庭院。

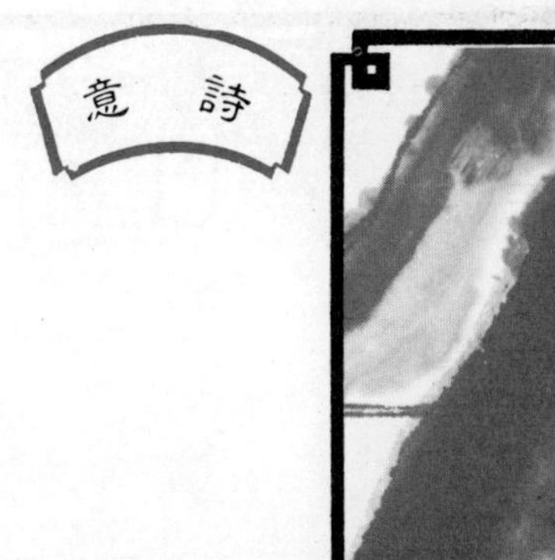

詩意

今年春天來得特別遲，新年都過了，還見不到綻放的花朵。直到二月，才發現草木剛剛吐出嫩芽。白雪妹妹好像也嫌春天來得太遲了，於是，她便獨個兒在庭樹中穿梭來往，弄得雪花滿庭飛，真讓人以為春花開了呢！

欣賞

這是一首描述初春景色的詩。從這首詩中，我們又可以看到很熟悉的擬人化用法。

首先，詩人說到春天的遲來，新年都過了，還聞不到一絲兒春意，直到二月初，才赫然發現大地上冒出了一些嫩芽，原來春天拖到這時候才來。

春天既然已經來到，白雪妹妹當然也就該離去了，可是，白雪妹妹是個急驚風，她可真看不慣春姑娘那慢郎中的作法呢！乾脆慢一步離去，先替春姑娘在單調的庭園中來一點兒點綴。

初春小雨

韓愈

七言絕句

①天街小雨潤如②酥，
③草色④遙看近却無。
最是一年春好處，
絕⑤勝烟柳滿⑥皇都。

解註

①天街：京城裡的街道。

②酥：形容東西的滑膩光潔。

③草色：青綠色。

④遙看：遠看。

⑤勝：勝過、贏過。

⑥皇都：京城、國都。即帝王建都的所在。

詩意

京城裡的街道，經過小雨的滋潤，看上去是那麼地柔膩光滑。遙望遠方，草色一片碧綠，走近一看，卻像都消失了。總之，初春是一年中景致最美的，即使煙柳濃蔭繞滿京城之時也比不上它。

欣賞

這首詩和前一首相同，描寫的也是初春景色。

在帝制時代，皇帝稱為天子，因此，天子所在的京城中之街道，也就稱為天街了。春天是一年四季中氣候最宜人的季節了。因為，夏天炎熱，令人汗淋漓；秋天草木枯黃，一片蕭瑟，令人覺得無限淒涼；冬天卻又寒風刺骨，令人毛骨悚然，只有春天是最和煦的季節了。

你瞧！鳥雀譜春曲，花朵迎春放，叫人不由得想放下一切，相偕踏青去。春天就是這麼誘人，怪不得韓愈也忍不住要寫詩頌讚一番。

①烏衣巷

劉禹錫

七言絕句

②朱雀橋邊野草花，
烏衣巷口夕陽斜。
舊時③王謝堂前燕，
飛入④尋常百姓家。

解註

①烏衣巷：地名。在今南京市東南，晉時王導、謝安諸貴族都住在此地，離朱雀橋很近。

②朱雀橋：橋名。橫跨秦淮河上。

③王謝：指晉朝王導、謝安兩大貴族。

④尋常：平常。

詩意

朱雀橋邊野花、野草叢生，從前王、謝兩家貴族住過的烏衣巷，現在到了傍晚時分，也只有夕陽斜照，顯得一片淒涼。

那些從前築巢在王家和謝家屋簷下的燕子，隨著貴族的沒落，如今也都搬到普通百姓家去了。

欣賞

這是一首因見古物而有所感懷的詩。

王導和謝安是東晉歷史上的兩大名人，對國家貢獻頗大，因此，也就成為聲名顯赫的貴族了。大第高門，如雲相接，雕梁畫棟上，燕子成巢。他們的子弟憑托餘蔭，自然而然也跟著享盡人間榮華富貴。

然而，世事多變，人間盛衰無常，隨著時日逝去，這王、謝巨族也日漸沒落了。

詩人眼見昔日王謝兩族的豪華府第而今成為一片斷垣殘壁，野草蔓生，淒涼慘淡，連昔日築巢的燕子都遷移他去，不禁感嘆萬千而寫下這首詩。

竹枝詞

劉禹錫

七言絕句

楊柳①青青江水平，
②聞③郎江上④踏歌聲。
東邊日出西邊雨，
⑤道是無晴⑥還有晴？

註解

①青青：形容楊柳的青翠。

②聞：聽見。

③郎：古代對青年男子的稱呼。

④踏歌：一面唱歌，一面用腳踏地打節拍。

⑤道：說。

⑥還：或者、還是。

詩意

江面十分平靜，岸邊的柳條兒絲絲青翠動人。江邊傳來那少年郎邊唱歌、邊用腳打拍子的聲音。東邊出了太陽，西邊卻仍飄著雨絲。你說，這到底是無晴呢？還是有晴？

欣賞

這是一首淺顯平易的情歌。

中國人是含蓄得很可愛的民族，由這首詩中就可看得出來。你看，明明這是一位少女在問少年郎說：「你對我到底是有情或無情呢？」可是，卻又不好明問，只好藉著與「情」同音的「晴」字，很巧妙地問：「是無晴或有晴呢？」

這種利用同音字所寫的詩很多，有一首打油詩便是這樣：

「古代殿試晉升進士，
現代電視進升近視。」

很有趣，不是嗎？

雲

鄭準

七言絕句

片片飛來靜又閒①，
樓頭②江上復山前。
飄零③盡日④不歸去⑤，
貼破清光萬里天⑥。

註解

①閒：寧靜自在的樣子。
②樓頭：樓頂上。
③飄零：飄泊、四處飄動的意思。
④盡日：整日。
⑤歸去：回去、回家。
⑥萬里天：一望無際的天空。

詩意

浮雲片片飛來飛去，既安閒又自在，逍遙無比。到處都可以看得到它，樓頂上、江面上空、後山前。它整日四處遛達不離去，就像把那萬里晴空當作它的剪貼簿一樣，東一塊、西一塊地拼湊貼補呢！

欣賞

這是一首描寫浮雲的詩。

小朋友，你曾在美術課裡做過「剪貼畫」嗎？將色紙撕成一塊塊，再貼成你想像中的東西，這是很有趣的課程。

詩人像個童心未泯的小孩，他看著浮雲安閒自在地飄來飄去，一忽兒變成魚，一忽兒變成狗；這會兒在樓頂上，那會兒在江面上，過一陣子又溜到後山去了，整日東奔西跑，像個頑皮的小鬼頭一樣，總是不肯回家。

詩人不禁天真地把天空想像成一張大圖畫紙，而片片浮雲便是剪貼的紙片，貼得天空好熱鬧啊！

①楓橋夜泊②

張繼

七言絕句

月落③烏啼霜滿天，
江④楓⑤漁火⑥對愁眠。
⑦姑蘇城外⑧寒山寺，
⑨夜半鐘聲到客船。

解註

①楓橋：地名。
②泊：船靠岸。
③烏：烏鴉。
④楓：楓樹。
⑤漁火：漁船上的燈火。

⑥對：相對。
⑦姑蘇：地名。
⑧寒山寺：寺廟名。
⑨夜半：半夜。

詩意

月兒西斜，烏鴉啼叫不休，寒氣凌空，令人倍覺凜冽。

在這寂靜冷清的夜裡，江邊的楓樹和漁船上的燈火，就彷彿憂愁地對立著睡著了一般。

到了半夜，姑蘇城外寒山寺的鐘聲劃破靜夜，一聲聲傳到船上。

欣賞

這是一首描寫旅愁的詩。

有關於旅愁的詩很多，這一首可說是其中的上乘之作，讓我們來體會一下這意境。

「日落」、「烏啼」、「霜滿天」這幾個字便將那種淒清的氣氛表現出來了。

「江楓漁火對愁眠」這句話用得十分巧妙，其實，江楓和漁火本身哪會有愁呢？只不過因為詩人本身滿懷愁腸，於是，在他看來，江楓和漁火就像也都對愁眠了。

到了半夜，寒山寺鐘聲響起，劃破沈寂夜空，令人更覺客居淒清，愁上加愁。

小朋友，再多念幾次，細細品味吧！

謝謝惠顧

感謝您欣賞本册內容，請繼續購買本册續集，謝謝！

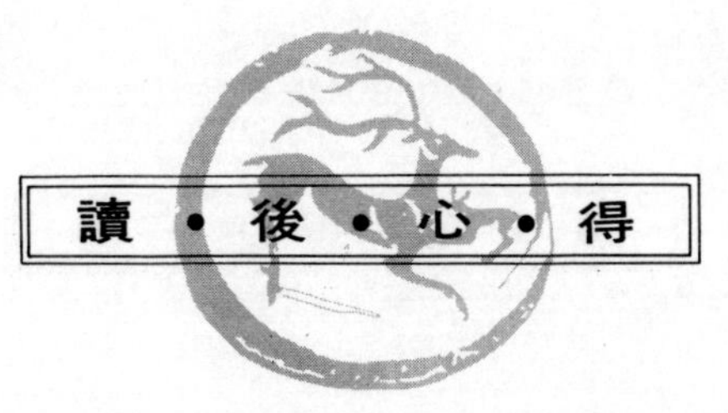

讀・後・心・得

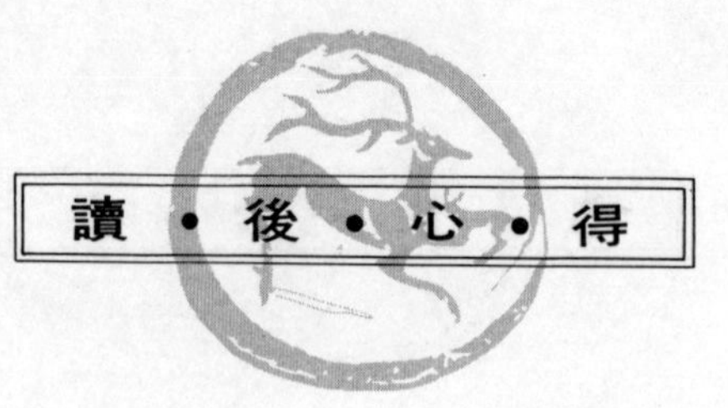

讀・後・心・得

讀・後・心・得

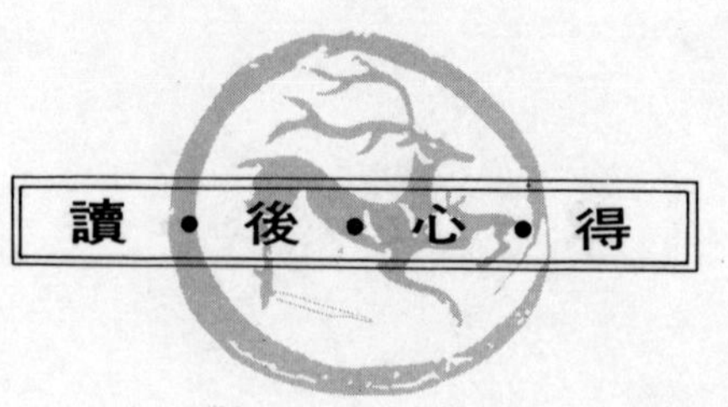

讀・後・心・得

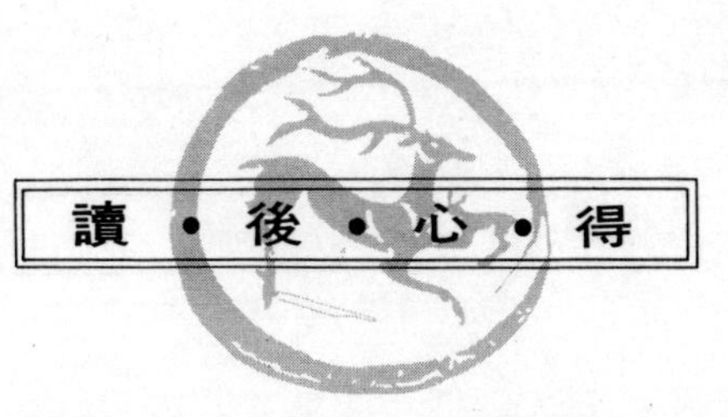
讀・後・心・得

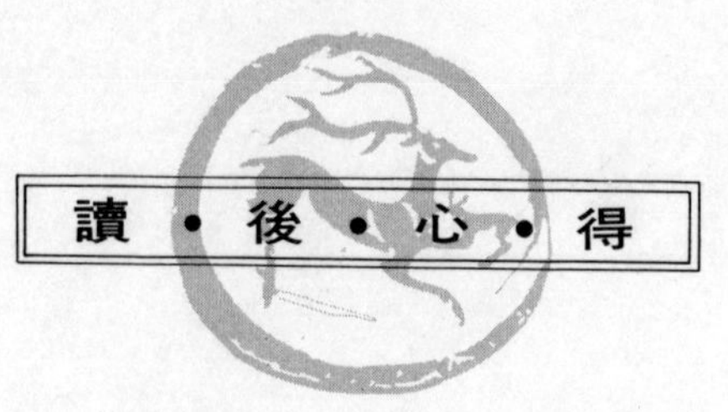
讀・後・心・得

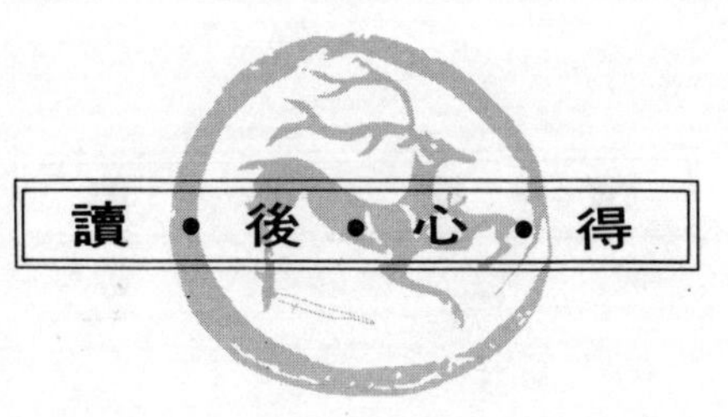

讀・後・心・得

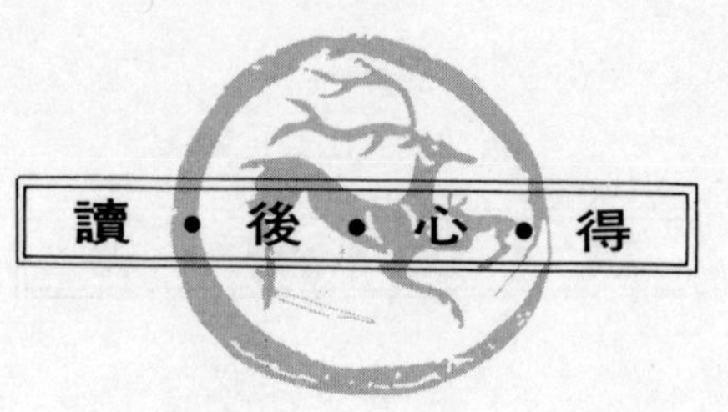

讀・後・心・得

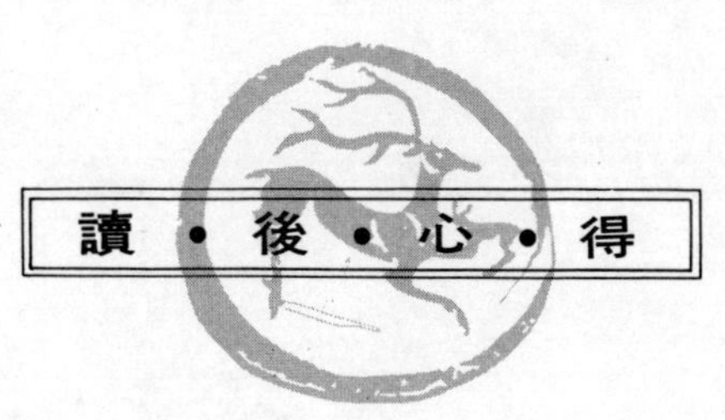

讀・後・心・得

好兒童國學叢書 

【精選 唐詩三百首】

編　著／鄧妙香
發行人／莊朝根
出版者／世一文化事業股份有限公司
ACME Cultural Enterprise Co., Ltd.
登記證／局版台省業字第83號
總代理發行／世一文化事業股份有限公司
地　址／台南市新樂路46號
電　話／06-2618468（10線）
傳　真／06-2646349
郵　撥／03880637
（郵購金額500元以上即免費掛號寄書；
500元以下請加附掛號郵資60元。）
印　刷／世一文化事業股份有限公司
E-mail／acme00@ms4.hinet.net
http://www.acme0-6.com.tw/

2004年1月修訂新版十八刷

訂書專線／06-2923077（3線）
本書若有缺頁、倒裝，請寄回更換